U0064390

劉福春・李怡 主編

民國文學珍稀文獻集成

第一輯

新詩舊集影印叢編　第37冊

【王秋心・王環心卷】

海上棠棣

上海：新文化書社 1923 年 7 月版

王秋心・王環心　著

花木蘭文化出版社

國家圖書館出版品預行編目資料

海上棠棣／王秋心・王環心　著 -- 初版 -- 新北市：花木蘭文化出版社，2016〔民 105〕

234 面；19×26 公分

（民國文學珍稀文獻集成・第一輯・新詩舊集影印叢編　第 37 冊）

ISBN：978-986-404-622-5（套書精裝）

831.8　　105002931

ISBN-978-986-404-622-5

民國文學珍稀文獻集成・第一輯・新詩舊集影印叢編（1-50 冊）

第 37 冊

海上棠棣

著　者　王秋心・王環心

主　編　劉福春、李怡

企　劃　首都師範大學中國詩歌研究中心
北京師範大學民國歷史文化與文學研究中心
（臺灣）政治大學民國歷史文化與文學研究中心

總編輯　杜潔祥

副總編輯　楊嘉樂

編　輯　許郁翎

出　版　花木蘭文化出版社

社　長　高小娟

聯絡地址　235 新北市中和區中安街七二號十三樓
電話：02-2923-1455／傳眞：02-2923-1452

網　址　http://www.huamulan.tw 信箱 hml 810518@gmail.com

印　刷　普羅文化出版廣告事業

初　版　2016 年 4 月

定　價　第一輯 1-50 冊（精裝）新台幣 120,000 元

海上棠棣

王秋心・王環心 著

新文化書社（上海）一九二三年七月出版。原書橫三十二開。影印所用底本版權頁缺。

三湖曲集
海上棠棣
王秋心 王環心 著

目錄 2

2 愛痕集

目錄

1 春郊集

2 鄉心集

3 幻遊集

海上梁[illegible]

目錄

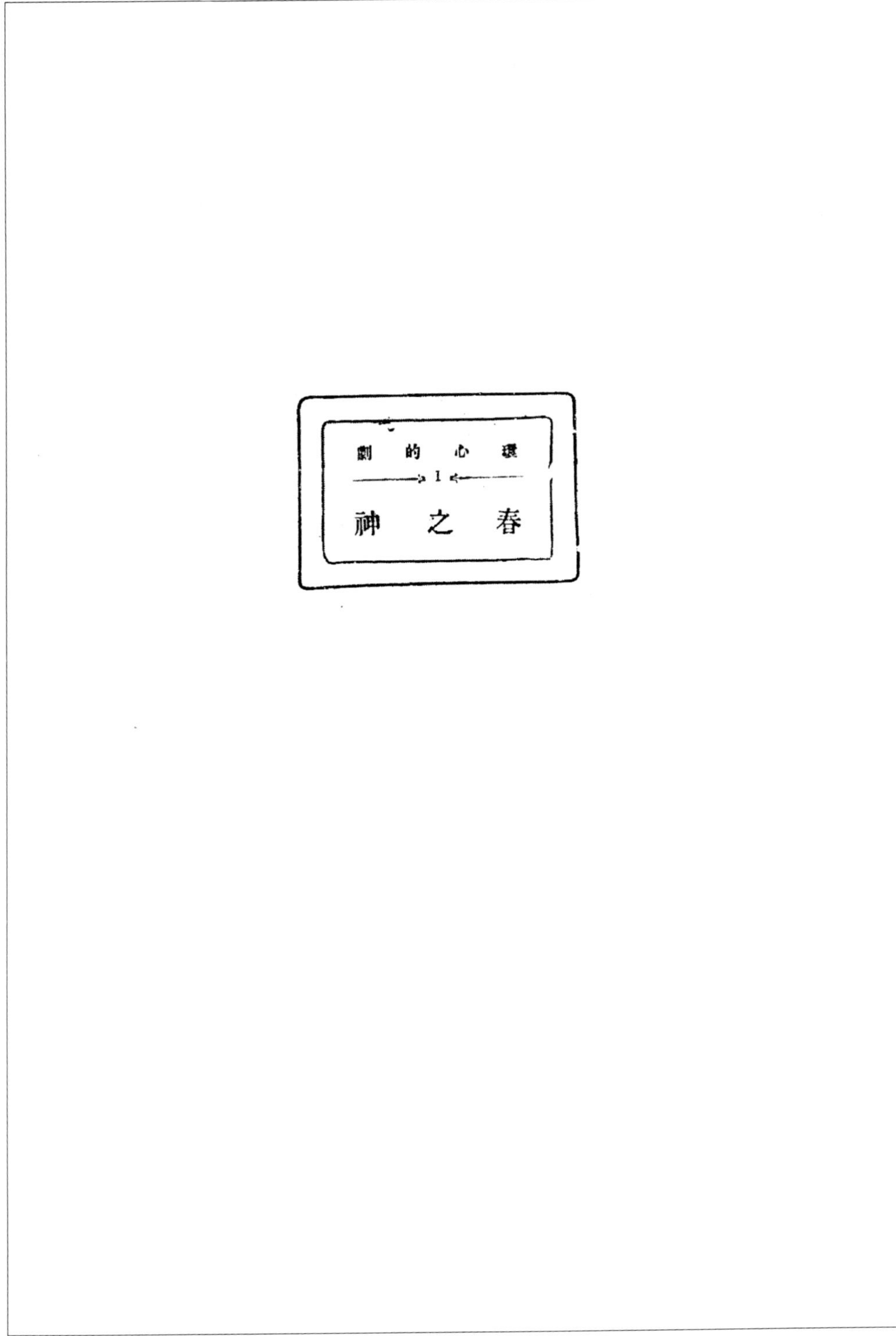
劇 的 心 環
1
神 之 春

春之神（童話劇）

（景）

如火如雲的桃花林中，
吐出鮮明燦爛的光彩，
熒耀世界！

碧草如茵的地上，
有牧童遊戲着在。

雙雙嬌小的鶯鳥，
在晴碧無凝的天界，
飛往飛來。

兩隻黃鶯突向空中落下，飛入桃花林中。

鶯鳥桃花對語。

鶯　一碧晴空，上下滿佈絢爛之色彩。春風和暖，春日舒遲，眞大好春光也！桃花姐姐，你衆芳姊妹們都在含葩吐蕊的迎春，我們鳥類也在謳唱歌語的賀春。就是昆蟲們也在飛舞的飛舞，含笑的含笑，一樣的向春表示歡悅之情。你想春光這般華美，春色這般鮮明，誰也都來欣賞這春日之美景，領受這春日之恩惠呢！只是大地上許多人們，猶是酣睡不醒，不知有着春在，豈不可惜？姐姐，我們唱個歌兒把他們喚醒如何？

桃　是呀！他們正睡着酣濃，在那黑暗中度日，不知宇宙中有這般和煦的春日，不知世界上有如此絢爛的美景，只在一室之內各自撕殺，各自咒詛，各自爭鬥！妹妹，那大江中漂來的血肉骨骸，不是我們時常看見的嗎？那太空中傳播來的哀怨悲泣之聲，不是我們時常聽得的嗎？唉！可憐！可憐！可憐的人們不知享受這光明，和美，愉悅的春日，沉淪在黑海中亂漂亂撞，可憐！鶯妹，我們速唱個歌兒罷！

鶯　我們唱

桃　我們唱

桃花唱

阿儂帶着春兒來，
阿儂爲着春兒開。
春色佈滿了人間，
春光耀遍着世界。

生動的蓬勃，
歌音的和諧，
香甜的濃蜜，
青翠的色彩。
蜜蜂兒嗡嗡賀歌，
蝴蝶兒飛舞徘徊。
可憐貪睡的人們，
猶不知有着春在！

鶯鳥唱

阿儂爲着春兒來，
阿儂帶着春兒在。
春色佈滿了人間，
春光耀遍着世界。
青翠的山林，
沉碧的江海，
燦爛的大地，
清朗的天界。
滾滾的流雲在着歡躍，
盪漾的湖水在着謳歌。

貪睡的人們呀！
快快醒來呀！

桃　妹妹，歌兒唱完了，還不見他們醒來！，唉貪睡的人們呀！妹妹，我們再合唱下去罷！

鶯　（領首）

鶯桃——表情合唱

儂們帶着春兒來，
儂們擁着春兒在，
儂們爲着春兒飛，
儂們爲着春兒開．
春色佈滿了人間，
春光耀遍着世界．
一切的芬芳，
一切的和諧，
一切的生動，
一切的愉快，
一切的溫柔，
一切的光彩，

一切的自由，
一切的歡愛。
我們擁抱着自然，
我們享受着和快，
我們翺翔着空中，
我們遊戲着世界。
我們芬芳！
我們和諧！
我們生動！
我們愉快！
我們溫柔！
我們光彩！
我們自由！
我們歡愛！
啊啊！
貪睡的人們呀！
春之女神等着在，
還不醒來呀！

鶯　怎麼是好呢？我們唱出這般熱烈的歌詞，我們放出這般高朗的聲音，人們還是那般長夜夢夢，姐姐，怎麼是好呢？

桃　是哩！……

至此，忽聞地上一片清朗之歌音起：（此時牧童裸身赤足，盤迴於草地中，旋滾爲戲。）

——春光之明媚兮，
——春鳥之翱翔兮，
——春色之燦爛兮，
——春花之芬芳兮，
——惟吾牧童之和美兮，
——如春光之明媚，
——如春鳥之翱翔，
——如春色之燦爛，
——如春花之芬芳，
——朝飲木葉之垂露兮，
——夕餐羣芳之落英。

——覩天空之清朗而高明兮，

——聆悉蟲鳴鳥語以娛情。

——吾將攬括大塊以爲懷兮，

——與自然而爲鄰！

桃　（驚疑）喔呀！那裏來的一片這麽清婉的歌音？莫不是人們醒來了嗎，妹妹？

鶯　（歡躍）哈哈！人們醒來了！人們醒來了！姐姐，那歌音裏不是有什麽春光明媚，春色燦爛嗎？不是有什麽攬括大塊，與自然爲鄰嗎？好呀！他們醒來了，世界上從此愈顯得光明了！人類中從此有平和愛美的日子了！…

桃　噯喲！鶯妹呀，你也不要誇讚太早了！我剛才聽得那歌音裏所表現的是牧童，並不是全人類哩！

鶯　（沉默一會）是哩！怕不是全人類醒了！待我去看看。

鶯鳥飛到草地上，向牧童致禮。

鶯　請問牧童哥哥，剛才那片歌音，是牧童哥哥一人唱的，還是有其他的人同唱？我和桃花姐姐，爲看大好春光在着，不忍使大地的人們久沉淪在睡海中，所以竟來唱些歌詞，把他們喚醒。牧童哥哥，他們醒來了沒有？

他們也會和你一樣的讚美春光，欣賞自然嗎？

牧童　唉！黃鶯姐姐，他們并不知道有什麼春光自然存在，那裏會曉得讚美，欣賞呢？他們只知在黑暗洞中喊鬥，辱罵，爭奪，撕殺；他們只會把同胞的鮮血澆撒；他們也只有悲苦，只有哀怨，只有眼淚；他們那裏會知道有這般鮮明錦麗的春光存在，來享這種自然的幸福與快樂呢？黃鶯姐姐，你看我雖然是人類，其實我是人類中之最貧賤的，最爲他們所不齒的，好像是擯斥了人類之外一般！只是在我自己看來，實比他們榮幸多了，歡快多了！你看，那展轉不息的白雲，就是我自然的幃幕；那碧葱葱的青草，就是我美麗的床褥；花呀，鳥呀，蜂蝶呀，草木呀，都是我唯一的伴侶。呵呵！我該有多麼舒適呀？剛才那個歌子，是我獨自唱的。可是，鶯姐喲！他們還在昏迷道上徘徊，我們心中總有一分隱痛。請你們還要唱些歌兒把他們喚醒呢！

鶯　是呀！是要把他們喚醒。牧童哥哥，你也來到桃花林中罷，好便同桃姐三個合唱。

牧童鶯鳥桃花——表情合唱

春來了，
春來了，
春風兒柔和了，
春水兒溫暖了。
窺春的太陽笑了，
賀春的鳥兒歌了，
招展的柳枝青了，
鮮明的桃花放了。
春草碧綠得如茵了！
春花繁盛得如雲了！
絢爛之春色，
美麗之春光，
充滿宇宙了！
炫耀世界了！
一切都在生動了！
一切都在發揚了！
我們也歡舞了，
我們也騰笑了，
我們也華美了。

我們也愉快了•
宇宙中一切的光明呀！
宇宙中一切的和美呀！
宇宙中一切的歡悅呀！
宇宙中一切的鮮麗呀！

啊啊！
黑夢裏的人們呀！
血海中之人們呀！
你們快快醒來！
你們快快回頭！
春之女神等着你們
等着你們握手，
等着你們交談，
等着你們 kiss，
等着你們 Embrace！
你們來！你們來！
她能洗濯你們的汚跡！
她能滌除你們的血痕！

她能清濾你們的腦質！
她能美化你們的心靈！
你們遇了她呢？
就不會有煩惱，
不會有悲哀，
不會有失意，
不會有衰敗！
沉淪了的人們呀！
快來快來快來！
她能超度你們脫出凡塵，
升入快樂之仙界！

至此，歌音忽然一抑，聲絕。但見舞臺中，一火盤似的落日由山谷間沉下。俄而，一輪皎月出自東方，濛濛淡影中，把舞臺籠住。

——幕徐下

（一九二三・二，八，脫稿・）

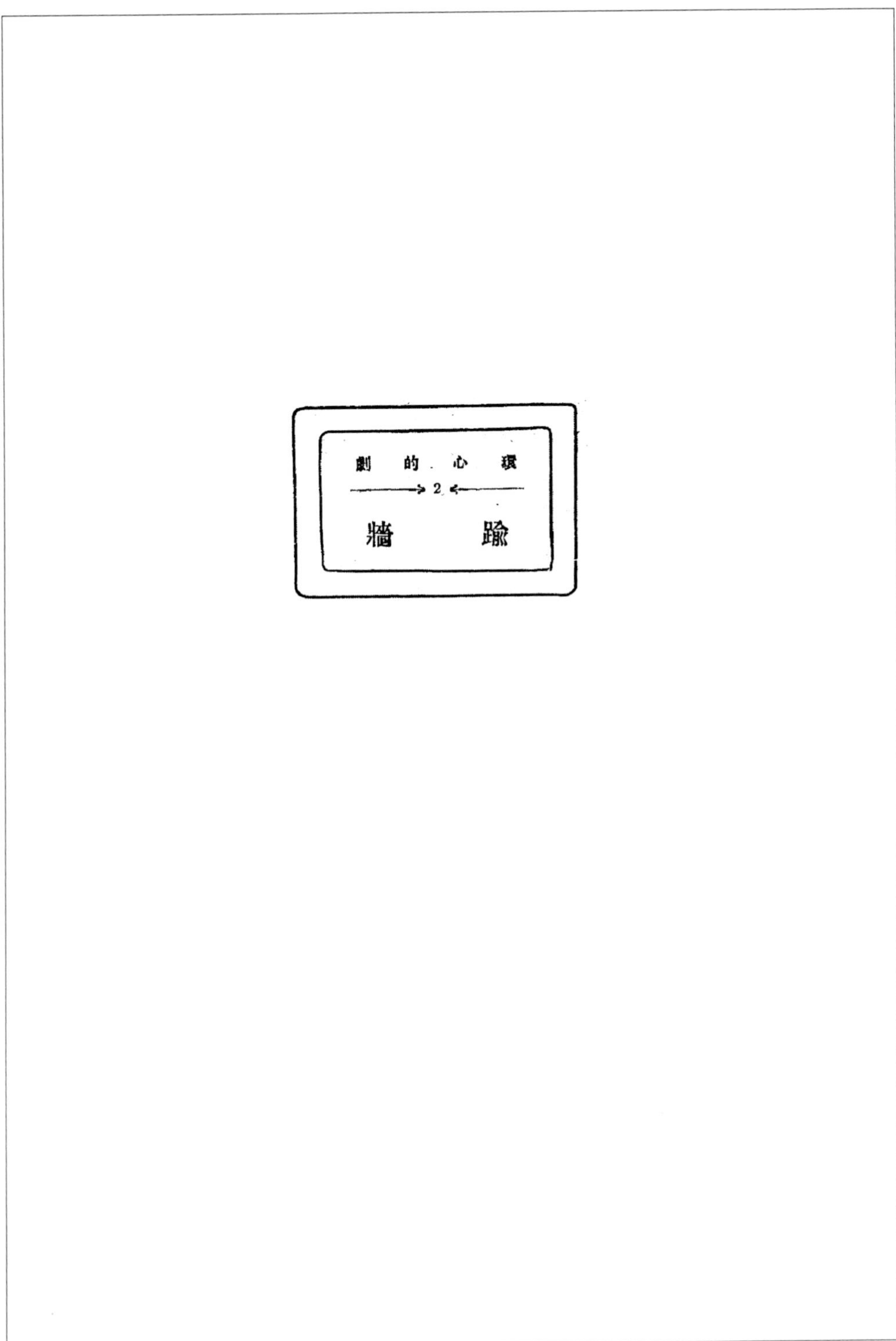

環心的劇

→ 2 ←

踰牆

踰牆（詩劇）

將仲子兮，無踰我里，無折我樹杞；
　豈敢愛之？畏我父母．
　仲可懷也；父母之言，亦可畏也！
將仲子兮，無踰我牆，無折我樹桑；
　豈敢愛之？畏我諸兄．
　仲可懷也；諸兄之言，亦可畏也！
將仲子兮，無踰我園，無折我樹檀；
　豈敢愛之？畏人之多言．
　仲可懷也；人之多言，亦可畏也！

（毛詩鄭風將仲子篇）

景——一片碧野，三五村家．村之四旁皆植杞柳，桑檀等樹．靠杞樹之一旁，下有小溪流一，溪水漣漪．村之西為一軒昂屋宇，環以及肩之圍牆，桑之枝條，即在牆上隨風招展．從牆上及桑葉之空隙處望去，牆內隱約立有一綽約之少女在．村外皆為大塊草地，地上草花開放正盛．飛鳥在空中歌唱，歌音宛轉．乃春二月之時景也．

牆外綠蔭處，有一青年佇立，即仲子也。形態極遲疑。

仲子

佇立綠蔭垣旁，
何來一陣幽香？
是蝶兒帶着花蕊？
是甌蘭撒着芬芳？
呵！
怎不見我的愛人兒影像？

（牆中少女聞聲，仰首外望，忽見仲子，臉色暈紅。仲子形貌慌張，即趨近牆旁兩步，向少女續唱下去。）

自從去秋別後，
至今未曾來往。
我的心兒懷念，
我的心兒悵悵。

（示少女，指畫天空曠野之間。）

似這般

清和天氣，
明媚春光。
花兒吐豔，
鳥兒謳唱——
怎不令我神馳意往？

我的愛喲！
我今夕
定要度過溪流，
攀着杞柳，
繞入你的里巷，
和你一敘歡唱！

少女　（形態沉默，作悲愁狀。）

啊啊！
仲子我的愛人呀，
我是怯懦哩！
請你不要繞入我的里巷，
請你不要攀折我的樹杞。

我非愛惜牠們，
只是，畏怯我的父母！

愛人呀！
我是籠中的罪鳥，
我是獄中的囚徒。
我沒有愉快欣喜，
我只是涖涕傷悲！
我的愛人呀！
我是何等地懷念你呢？
可是，
父母的苛罵，
叫我怎不畏懼？

仲子　（略形不安之狀）
我的心兒只是懷念，
我的心兒只是悃悵。
我不見着你呢？
我定流入瘋狂！

愛人喲！
你的父母既然那麼專制，
我只有改着道兒，
攀上樹桑，
踰過園牆！

少女　（形態愈沉默，顏容愈悲慘）。

啊啊！
仲子我的愛人呀，
我是知道哩！
請你不要踰越我的垣牆，
請你不要攀折我的樹桑。
我豈愛惜牠們？
只是，畏我那似虎如狼的弟兄！

愛人呀！
我是家庭威權之下的征服者，
我是人們口中所嘲笑的女郎。
那裏有自由？

那裏得歡暢？
我的愛人呀！
我是何等地懷念你呢？
但是，
兄弟們的斥責，
叫我怎不驚惶？

仲子 （容態愈形不安，凝視少女。）

哦！我的愛人啊！
怎麽是好呢？
兄弟輩又是那麽暴狠，
我只好避開你的家門，
取道東角小徑，
攀着樹檀，
踰過林園！

少女 （拭淚，作嗚咽之聲。）

啊啊！
那裏又能行呢？

我的愛人呀！
我心地是何等悲傷？
你看：
這麼殘虐冷酷的世界，
這般缺乏同情的人們，
自然之花何能開放？
生命之果何能熟成？
相信命運罷，
我的愛人！
我是慣受人們欺侮的女子！
我是社會之上公認的罪人！
我們只有傾瀉着熱淚，
各自澆潑燃燒的心田！

（少女唱至此，嗚咽不能成聲。仲子亦佇立無言有間。）

詩人　（古裝負笈，自右林中徐步而來，向仲子少女拱手致禮。）

喲喲！
好悲切的歌喲！

好哀慘的歌喲！
唱得我的心絃激動！
唱得我的熱淚奔流！
愛海中之失敗者呀！
愛塲中之懦弱者呀！
你們不要相信命運；
你們應從命運之外，
尋找着「美」的生涯！

人羣圍繞了你們嗎？
牢籠陷害了你們嗎？
不要緊的！
你們噴薄熱烈之血，
向人羣之中澆去！
你們揮開堅實之拳，
向牢籠之上打去！
犧牲是生命的代價！
奮鬥是生活的階梯！
愛海中之失敗者呀！

人言物議值得什麽？
禮教法律值得什麽？
你們奮鬥去罷！
你們奮鬥去罷！
聽喲！
上帝在向人們喊道：
『愛之花開着，
自由之果結着，
惟有能奮鬥者才能得着！』

（幕）

（一九二三・一・二六・上海）

秋心的劇

1

海上飄泊者

海上飄泊者(詩劇)

序幕

海上白雲飛渡,
空際羣鷗翱翔。
太陽照着青青的海水,
海水射着瀲灩的波光。

海濱泊着兩隻小舟,
舟中有人在着歌唱。
唱出悲壯慷慨的歌聲,
似訴人生無限的感傷。

詩人(面目愁慘,態度沉靜。佇立舟中展望)

我自飄泊來海上,
海上,就是我的情場!
我愛在這情場謳歌,
我愛在這情場徜徉。
白雲,就是我的愛友;
海鷗,就是我的良伴,

我悠悠地的詩心
常隨着牠們遨遊：
朝看鮮紅的旭日，
暮看瑩白的月光。
明月何皎潔！
旭日何光芒！
我悠悠地的詩心
極燭人間的幽暗！
我悠悠地的詩心
極惆人們的幽傷！

漁父　（袒身赤足；兀坐船頭。意極自得）

我自飄泊來海上；
海上，就是我的故鄉！
我愛在這鄉里留連，
我愛在這鄉里浪蕩。
清風，就是我的愛友；
明月，就是我的良伴。
我恬淡自在的心兒
常浸在自然懷裏：

曉沐太空之浩氣，
夕浴海天之霞光。
霞光何燦爛！
浩氣何蒼茫！
我總覺自然之中
充滿着無限的欣歡！
我總覺宇宙之間
瀰漫着無際的歡暢！

詩人　（略呈激昂之態）

啊啊，
自然之中充滿着欣歡嗎？
宇宙之間瀰漫着歡暢嗎？
　　（指畫天海）
怕的只有這塊海天！
怕的只有這塊海洋！
人間的光明
早已被黑暗驅逐罄盡！
人類的幸福
早已被惡魔剝奪殆完！

啊，不說那攘攘大地，

（遙指西方）

試看我們已墮落的故鄉！

那兒不是悲哀充塞着的牢獄：

那兒不是濃血污穢着的屠場！

人們就好像是屠場上的獸物，

任着他們宰割，烹飪！

人們就好像是牢獄裏的罪囚，

那得半點自由，歡暢！

（唱至此，不禁淚下沾衣）

漁父　（起立）

啊啊，

人間是牢獄嗎？

人間是屠場嗎？

人們沒有自由嗎？

人們沒有歡暢嗎？

是誰個造成着這樣的世界？

是誰個把人們的幸福斲喪？

（沈默一回）

啊，
是人類中的惡魔嗎？
是宇宙間的黑暗嗎？
人們爲甚不和惡魔奮鬥
任牠猖狂？
人們爲甚不把黑暗驅逐
任牠放蕩？

詩人　（拭淚——似不滿意漁父之問）

啊，
我的眼淚已灑盡！
我的心血已熬乾！
黃海之水幾時清？
人的生命幾時完？
人類中的惡魔呀！
宇宙中的黑暗呀！
你們的生命
在消？在長？

（默念半晌）

我雖在此光天化日之下，
遠着黑暗。
我雖跳出人間的樊籠，
逃來海上。
可是我可憐無告的人們
還在闇淡無光的世上恐怖，
還在地荊天棘的人間徬徨。
我的心兒何等懷念！
我的心兒何等惆悵！

漁父　（仰面發笑）

啊，
我不解甚麼懷念，
我不解甚麼惆悵，
我更不解甚麼恐怖，徬徨。
我以爲都是人們自尋煩惱，
有酒不沽，有樂不享！
你看！

（指點）

這般皎潔的新秋！

這般平靜的海洋！
白雲在天上優遊，
羣鷗在空中翱翔。
獨不見有個人來
欣賞這自然美景！
獨不見有個人來
和我們同敍歡暢！

（聲調愈高）

他們只是利慾熏心，
他們只是富貴奢望。
朝講爭權，暮講奪利。
今日打杖，明日鏖戰。
以致災禍連縣，各不相安！

（戚額縐眉，作痛恨狀）

我不解他們是什麼心肝！
我不解他們是什麼肝腸！
可憐他們也不過在氛氣咒詛裏面偷生！
可憐他們也不過在悲哀煩惱裏面殘喘！
又有什麼光榮呢？

詩人　（呈不安之狀）

啊啊，
你又錯怪人們了！
那是貪人敗類的野心，
非是多數人們的願望。
多數人們的願望——
是在喝慕『世界和平』！
多數人們的願望——
是在深冀『人類安康』！

（凝視漁父。漁父亦作傾聽狀）

你沒聽見嗎？
現代一般青年的主張：
他們主張自由平等；
他們主張改造解放。
他們主張搖富塡貧；
他們主張扶弱鋤强。
他們爲着要打破社會的腐敗制度，
他們爲着要貫徹他們的平民主張。
他們也常向幸福之神哀求，

他們也常在光明之中聲揚。
可恨少數敗類貼耳不聽，
往往反以兵刀相向。
犧牲多少青年的頭臚！
犧牲多少青年的膽肝！

（少停。抑不住悲哀，仍續唱下去）

哼！社會的惡根已深！
人類的汚穢豈易滌盪？
可憐無告的人們
有甚麼能力！
可憐無告的人們
有甚麼希望！
我的心兒愈覺悽愴！
我的心兒愈覺悄悵！

（復淚下如雨）

漁父　（愴然）

啊啊，我並非不哀憐無告的人們；
也並非不同情你心中的幽傷。
我不過怪着他們至今還不醒悟，

長夜漫漫，迷夢正酣！
像我也是個平民——
也是個蚩蚩之氓。
從前也受過他們一般樣的痛苦，
心中不離着悲傷。
可是一把揮去，
飄然來此海洋。
樂此『獨善吾身』的生涯，
愛此自然美景的良伴。
不管人間一切是非，
不管人間一切權利，
老死不和人羣往來，
老死不和人羣來往。
人間一切禍害，災殃；
因此也和我永遠隔斷！
我所以只有愉快，
只有自由，只有歡暢。
（翹首遙望）
窮困在刑政底下的人們呀！

躑躅在牢獄之中的同胞呀！
世界上已經沒有點兒光明了，
你們還有什麼希望！
不要躊躇！不要徬徨！
快快覺悟！逃來海上！
享受我們一般樣的生活，
取得愉快，自由，歡暢．

（太陽忽然陰去，一陣狂飆捲來，海中波濤掀起，岸上塵埃飛揚——塵埃中隱隱有人影在前奔走．俄而，風平浪靜；太陽復出．）

海神（古裝道貌；徐徐自海岸走近，佇立前望，呈欣悅態．詩人漁父皆愕然．）
啊啊，海潮澎湃地聲響，
我早已知道有人在歌唱．
一個調兒悲壯，
一個調兒激昂．
唱得我的心絃振動，
唱得我的情調淒涼．
（指點）

我的淚濤已和海水交流，
我的聲帶已和海風應響，
我的心情已和海潮一樣。
我的船，我的枕，我的槳；
都被那海中的惡獸獵碎，
都被那洶湧的狂潮冲往。
我只有徒步前來，
和你們一叙歡暢：

（詩人漁父皆伸首向岸傾聽。）

我本是個——我本是個王子。
我的故鄉，

（搖指東方）

就是那紅日初出的扶桑。
我因爲嫌惡那個虛榮可恥的王位，
我因爲嫌惡那些罪惡貫盈的宮房。
我因爲嫌惡那班虎狼似的官吏，
我因爲嫌惡那班奴僕似的將相。
我所以偷出着罪和不幸的國門
逃來海上。

(搖指渤海)

我自棲遲在海上蓬萊——！
這般寥寂莊嚴的仙鄉！
我只是做我孤獨的生涯，
不管今來古往，不管地久天長！
可是今朝——

(仰面·作欣賞狀)

愛看這清明皎潔的晴秋，
愛看這溫暖柔和的陽光。
偶出蓬島遨遊，
果然蒼蒼天昊，汪汪海洋；
這般雄渾，光耀，坦蕩！
又邂逅着你們——
出世的超人，我的良伴！
我的心兒何等歡悅！
我的心兒何等忻懽！

(太陽光線，分外晴明)

啊啊，你們看喲！

(指點)

滾滾的流雲，
滔滔的白浪，
在那天海裏歡呼，
在那天海裏頡揚，
高讚你們飄泊的生涯，
欣羡你們超人的狂放・
（揮冠揚袖・狀如發狂）
啊，我狂放！我狂放！
人生須行樂！
得歡樂時且樂歡・
啊，我荒唐！我荒唐！
人生須行樂！
得歡樂時且樂歡・

（詩人漁父聽罷，皆欣然跳上海岸與之施禮・海神疾忙跳入海裏，悠然消逝・移時，海風大作，狂潮復起・詩人漁父各駕葉輕舟，衝破狂潮而去）

（幕下）　（二三，三，三一・于上海大學・）

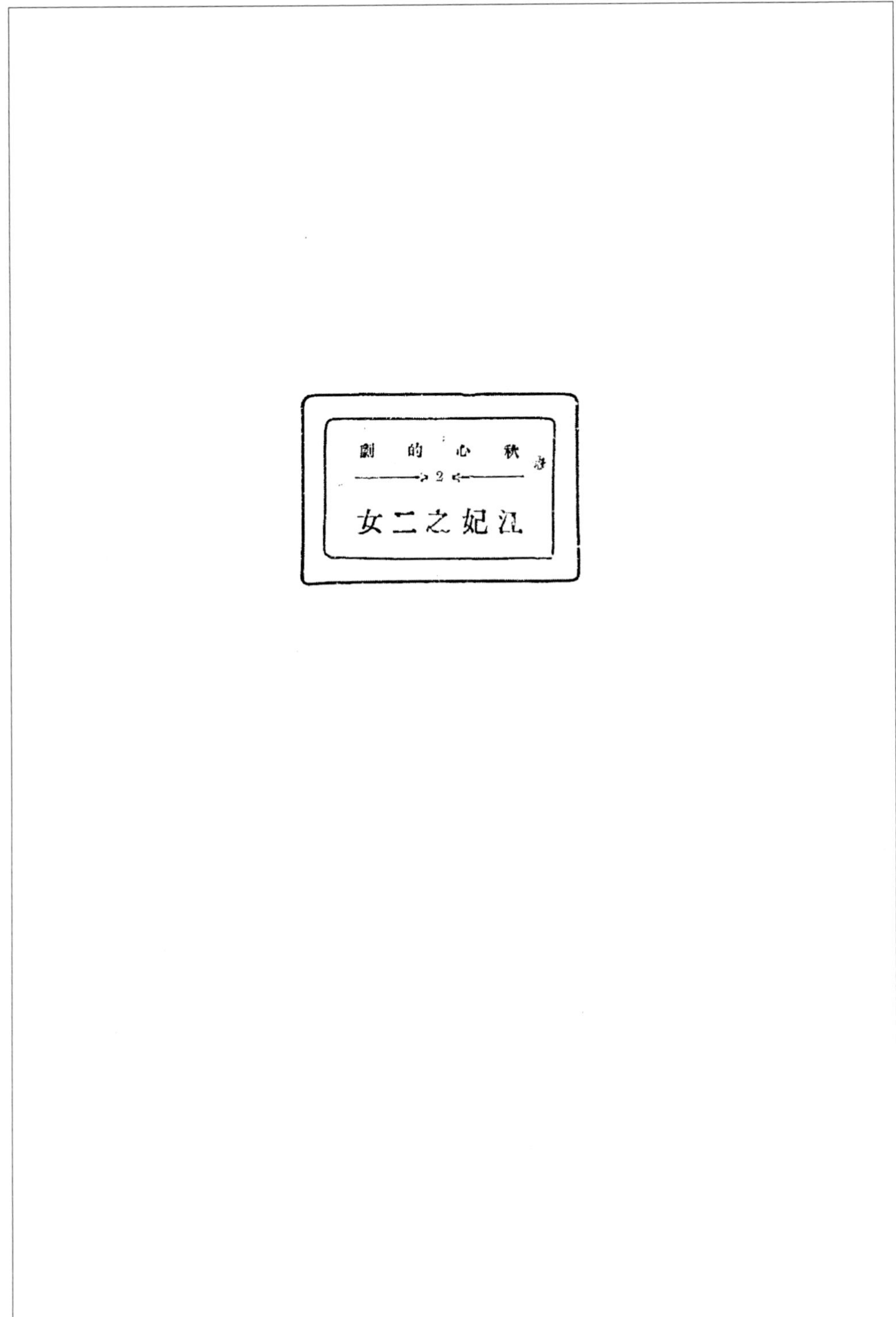
秋心的劇
2
江妃之二女

江妃之二女（劇詩）

Introduction

二女遊江濱，
感秋發哀音．
鄭郎懷環珮，
娓娓訴秋心．

伯英

天上白雲璀璨，
江干樹木蕭條．
嘍嘍的一聲聲，
自然的音樂頻奏．

仲英

聽呀！秋琴在彈
好悲哀的情調！
如孤舟的嫠婦夜泣，
如幽壑的潛蛟躍跳．
浸潤我的靈魂，

我的魂絲愁結。
泌入我的深心，
我的深心悲透。

伯英

哦，『秋』原來是悲哀的種子！
來自縹緲的天表，
散佈着江上，散布着人間，
散布着人們的心頭！
人間因此只有寥落，衰敗，
人生因此只有煩悶，憂愁，

仲英

啊啊，可以永嘆的人生！
如飄零莫定的落葉，
如起滅無時的江潮。
一瞥眼，葉也陷溺了，
潮也消滅了——
有什麼陳跡在那裏？
不過些夢，幻，風，煙——飄颻。

伯英

江花萎絕，江草衰黃。
江濱寂寥呀淒涼！
儂們遨遊着江濱，
到處只是感着惆悵。

哦，我惆悵的心兒，
有如秋江的暗浪，
有如黃昏的倦鳥，
有如深夜的吠尨。
流不到浩浩的東海，
飛不上悠悠的穹蒼，
只吠着翳翳的雲影，
望不見點兒星光！

仲英

哦，望不見點兒星光，
我也常常這般幻想：
我的四週是個幽淵，
幽淵裏的魍，魎，魑，魅
個個張牙舞爪相嚮！

秋雨教我哀哭，
秋風教我聲張。
可是，我的身兒只是戰慄，
我的心兒只是徬徨。

伯英

哦，儂們不要說什麼幻想！
也不要自尋煩惱，如許感傷。
且乘這個清秋的晴朝，
翱翔大地，到處倘徉。

你看！
這般澄碧無際的秋水！
這般秋水瑩澈的寰蒼！
展開在儂們面前，
儂們好像在畫中遊蕩。
呀，儂們坦白的情懷，
也如這秋水江天一般。

仲英

啊，前面來了個少年。

頭上戴着巍巍的金冠，
身上披着楚楚的霓裳。
一面慢慢的散步，
一面揚揚的謳唱。
好像在細訴他自己的衷曲？
好像在同情着儂們的感傷？

他的容顏何等俊朗，
他的姿態何等麗莊。
只是他那愁眉不展，
好像戀慕中帶着惆悵？
哦，他是塵寰中的落魄者？
還是上天謫降的星官？
他何獨行踽踽，
來此人跡罕至的江畔？

你看！他的衣衿
雲波滔滔而輝光。
你聽！他的謳聲

秋心的劇

秋聲凄凄而悲傷．
哦，他是『司秋之神』！
他是儂們的良伴．

江上灑着秋陽，
秋風颯颯地聲響．
儂們的環珮—玲瓏—鏗鏘．
哦，環珮！環珮！
儂們把你贈與那司秋之神，
儂們把你贈與可愛的良伴．
做他永恆的伴侶！
結下千載的情歡！

鄭郎

天野靑靑
江上風平浪靜．
紫色陽光
腦彼疎疎的平林．
秋在林間
聲聲哀切悽清．

我好像秋的孩兒
睡在秋娘懷裏，
溫香濃情穩浸。

我愛這般澄淨的幽境，
我嫌惡那擾擾的人群。
尋不着我理想的樂土，
朝朝獨步前來江濱。
可愛的江濱——
纖塵不染，一如山林清韻。

我正嘆着我的孤伶，
無人和我共此幽情。
何幸今朝有此佳遇，
我的心兒只是殷殷私慶。

哦，我可敬愛的女神！
感謝你們的殷勤，
贈我雙雙環珮——

這般卓犖的殊珍！
可是我沒有什麼餽贈，
報答你們的愛敬。

哦，我可敬愛的女神！
我有幾片紅葉般的肝臟，
我有一顆明珠般的赤心，
可以報慰你們的深情。
你們且聽我的心聲—
我的前塵後影：
我是個天眞爛縵的孩子，
我是個到處灑淚的情人。
只是可憐我落拓半生，
無處可以把心魂寄椗。
我思念着故鄉，
故鄉遼遠，使我不得親近。
我飄蕩着異地，
異地景物，又使我悲楚，哀矜。

哦，我是少小便多情，
也曾受過朋友的愛敬。
于今我是失望而多病，
我的私心只是哀怨般般。
可是我的怨望安在，
我自己也不知其底蘊。
但覺在此冷酷的世界中！
我的頰兒總是淸冷，
我的心兒總是戰競。

秋林蕭蕭發哀音，
孤鴻，野猿同悲鳴。
我這『秋』一般樣的心境，
尚有無限難言之隱情！
我那不幸之世身，
眞個是落葉之飄零……

Epilegue

彼女何韶秀，

秋心的詩

人間無匹儔•
鄭郎一回首，
但見江悠悠•

（二三，五，二五•于上海師[illegible]）

〔附白〕此詩故事，出自左書之記載•列仙傳：『江妃（古之仙女）二女遊于江濱，逢鄭交甫，遂解佩與之•交甫受佩而去•數十步，懷中無佩，女亦不見•』

46

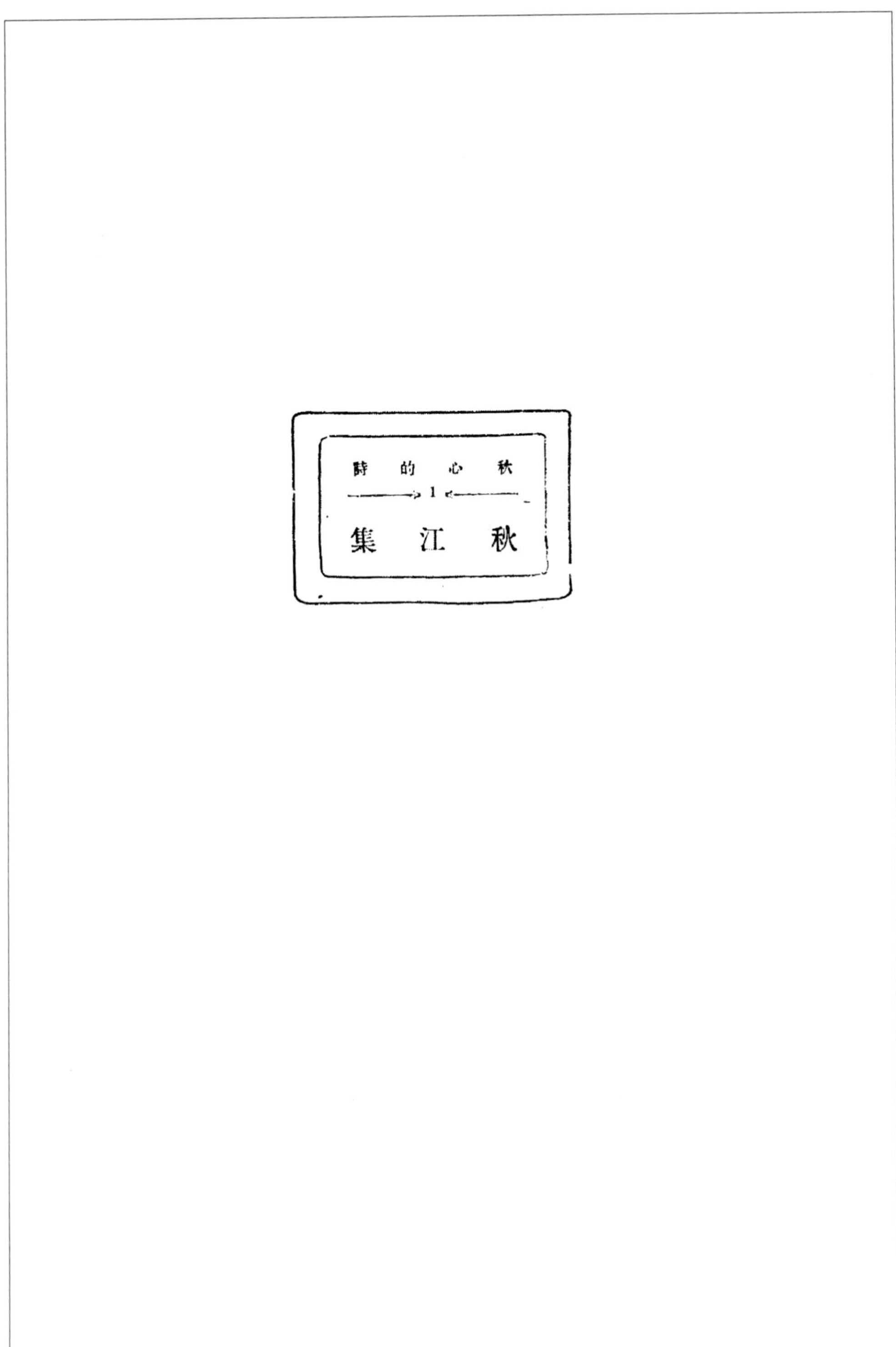
秋心的詩
1
秋江集

海上飄泊的詩人

海風浪浪，
天空蒼蒼，
海上忽然澎湃地聲響。
啊啊，
海之狂潮打上岸了！
啊啊，
海之狂潮打上岸了！
海上飄泊的詩人
對着狂潮發狂嘯。
唱出悲壯的詩聲；
彈出優美的情調。
海鷗聽着飛鳴，
海蝦聽着躍跳。
啊啊，
狂潮越發洶湧了！
啊啊，
狂潮越發洶湧了！

飄泊的詩人——
勇敢的詩人，
駕着一葉輕舟
衝破狂潮去了！

（二三，元旦·于上海大學）

明月的讚詞

胸中千箇萬箇悲哀之愁結
解之唯有天上多情之明月

今宵又見多情之明月！
今宵又見多情之明月！
啊啊，明月喲，明月喲！
我愛你光明，我愛你瑩白，
我愛你幽雅，皎潔・
我見了你那豐滿的面龐；
我見了你那娟靜的神情，
我的愁也去了，我的恨也去了，
我心頭一切的雜念也都消逝了！

啊啊，林中的飛鳥在鳴；
海上的風聲在嘯，
婷婷玉立的明月，也在空際微笑・
此刻光明燦爛之大地上，

點了一個我，點了我的朋友，
我的兄弟姐妹，我親愛的同胞——
同仰面贊美着明月了。
明月呀！
多情的明月呀！
亘古長存的明月呀！

（二二，一二，一八夜·于上海）

忘不了伊的美

——憶江上女郎而作——

我忘不了伊的美，
伊的美是這般的：
芙蓉般的面龐，
柳葉般的黛眉，
秋水般的明眸，
瓠犀般的皓齒．
額如雲漢，領如蝤蠐，
手如柔荑，膚如凝脂．
雙唇如薔薇吐豔，
兩頰如桃李芳菲．
伊是這般美的！

伊那雲衣般的短髮，
伊那柳線般的腰圍，
伊那蝶舞般的嬌態，

秋心的詩

伊那鶯歌般的言語．
都永恆印在我腦裏；
頃刻也不會忘記！
伊又有溫柔的性情，
伊又有曠達的心志，
伊又有孩子的天真，
伊又有超人的智慧．
伊的內心，又是這般的美．

伊是美的結晶！
伊是絕世的美人！
宇宙間的萬彙，
誰可與伊比擬：
蒼蒼的山岳不及伊喲！
青青的海水不及伊喲！
悠悠的白雲不及伊喲！
皎皎的明月不及伊喲！
春之明媚不及伊！
秋之皎潔不及伊！

52

清晨之太陽
薄暮之霞光，都不及伊。
我也不及伊！
你也不及伊！
她也不及伊！
一切的美不及伊！
一的一切的美都不及伊！
宇宙間的美只有伊！
伊就是美的一切！
一的一切的美！

喲喲，
伊是誰？
伊是誰？
伊是天上的天使！
伊是雲中的僊姬！
伊是可愛的女神！
伊是美化的仙女！
我每想着伊：

我就忘了軀殼，忘了靈魂，
忘了塵寰，忘了人世！
可是——可是世世生生
『忘不了伊的美！』

（一三，二，一四，于上海大學）

司音樂的女神

題靈秀女校姐妹們在林下開「音樂會」時所攝之小影

一片銀輝爛縵的浮雲，
輕輕籠着一抹幽林•
幽林裏度出一聲聲——
蕭聲，笛聲，謌聲清韵•
我的身兒隨着謌聲前進，
我的魂兒隨着謌聲飛昇•
我的魂兒隨着謌聲飛昇，
悄悄地站在林上靜觀，諦聽•

春晨紫色的空氣裏
傳來薔薇花香陣陣•
一羣司音樂的女神，
佇立碧草黃花地面輕輕•
春風吹着伊們的衣衿，

秋心的詩

陽光擁抱着伊們深深。
窈窕的姿態，風雅的神情，
纖衣翩翩，活潑天真。

空氣蕩漾，音波頻振。
伊們的笙簫又在合奏，
伊們的詞曲又在細詠。
好像秋林的落葉低吟？
好像銀河的流水響應？
帶着不少的悲楚，哀矜？
載着無際的愛贊、歡欣？
餘音嫋嫋，沁入我岑寂的心琴。
我岑寂的心瑟，也起着共鳴：

哦，我可敬愛的女神！
我知道你們的悲楚，哀矜。
你們在哀着人類的生活枯寂，
你們在哀着屠場的羣生紛紜。
你們在哀着飄蓬異地的客子，

你們在哀着無父無母的孩嬰．
啊，你們在哀着幽閨的怨女，
在哀着失戀的情人．
也許在哀着我的孤獨，我的不幸！

哦，我可敬愛的女神！
我也知道你們的愛贊，歡欣．
你們在贊着芬芳馥郁的青草，
你們在贊着綠蔭蔥蘢的春林．
你們在贊着蹁躚如意的蛺蝶，
你們在贊着翱翔自由的蒼鷹．
啊，你們在贊着有翅膀的戀愛，
在贊着女性般樣優美的男性．
也許在贊着我一個呀——
一個自愛海裏跳出的詩人！

哦，女神，我可敬愛的女神！
今朝聽着你們的洋洋樂音，
我這鬱結的心兒也漸舒伸．

秋心的詩

自從去歲飄蓬來這海濱，
我就好像陷溺幽淵深深．
從沒有聽過這般清颺婉轉的謌詠，
從沒有聽過這般仙樂合奏，雍容和平．
更沒有看過你們這般淡粧娟靜的天使，
沒有看過你們這般綽約嬌嬈的美人．

但是女神喲！感想着目前福音，
我心中尙免不掉悵惘，懷疑：
你們旣是『敲破沉寂』的天使，
爲甚麼不早把酣睡的人們喚醒？
你們旣是『安慰人生』的樂神，
爲甚麼不早來慰着伐的孤苦零丁？
假使你們早來慰着我的孤苦伶仃，
我也不會朝朝展輾呻吟，
我也不會年年虛度青春．
是不是呀？我可愛的女神！……
哦哦，春風在嘯，春鳥在鳴，

太空中瀰漫着歡樂的精靈．
歡樂的精靈在那歡呼般般，
我久沉淪着的魂兒，頓時甦醒．
好像滌盪了心頭層層情愫餘燼，
好像方才一切是幻想，夢境
身兒站在如死一般悲寂的海濱！
手兒拿着姊妹們自家鄉寄來的小影
一會兒賠着，一會兒凝神，
個個小影，早在我腦中浮泳．

(一三，五，三一．于上海大學．)

戀之悲詞

——此詩呈濟甯吾友——

往事層層壓着我的心頭，
禁不住熱淚如潮般的湧出。
啊啊，煩悶呀！憂鬱呀！
從何處跳出圈兒去？
從何處跳出圈兒去？
上下嗎，黑暗無點兒光明！
四周嗎，沉寂無點兒聲息！
誠可怨怖呀誠可戰慄！
啊，我煩鬱的心兒在恐怖了，
我全身的細胞在戰慄了。
上帝呀上帝！是不是你賜給我的？
啊，不錯，是我戀後的餘辜，
上帝應該賜給我的。
但是，上帝呀上帝！
你從前賜給我的福音在那裏？
你從前賜給我的歡娛在何許？

你不信嗎？你看！
我臉上的淚痕尙未乾，
我頭上的黑髮已經星白幾許了・
哼！你那裏知道，
我在戀中所得的痛苦，
已是一層一層地在心頭結晶了！

我爲甚有這麼滿深的痛苦？
我的痛苦，又爲甚麼解不掉去？
我肚子裏裝滿了懷疑，
我心頭愈感着傷悲，
我逼着要請教我的朋友了・
朋友呀！當我在戀中要自殺時，
你不是對我說嗎：
『我們不是自已要來，
爲何要自己尋去？』
如今，我且問問你：
我們不是自己要來，
誰個敎我們來的？

秋心的詩

誰個有這麼大的力量
我們不來，要迫着我們來哩？
我們此刻殘喘着，
將來會去那裏？
終久還是自己尋去不是？

啊，我也知道——『死』喲！
但是死呀，死前的痛苦如何免掉去——
『生』喲！也不過和昆蟲草木一樣罷了！
生了，又有什麼意味？
啊，死生不足道，生死之外尋『眞理』
眞理給我們說：
『世界只有花，人生只有愛』
可是，我從愛裏討生活，
愛裏也充滿着許多痛楚。
我從園林裏面尋樂趣，
園林裏面也包涵着無限悲悽。
到處都是人們塡不滿的缺陷！
在在皆有着造物安排的巧計！

62

問天，天無語。問地，地不知。
可嘆的人們，不過在悠悠天地之間
徘徊，哀怨，淌淚……

啊啊，人生喲！
我怕你終久是悲哀充塞着的東西！
啊啊，宇宙喲！
我怕你也不過是毫無生氣的死灰！
可是，我沒有人生觀，也沒有宇宙觀，
我只有我心靈之瞬
一瞥眼就過去了！
有時，好像連這心靈之一瞬也沒有
不過一點纖塵——如輕煙，如浮雲，
忽然飄蕩在這裏，
忽然飄蕩在那裏。
有時太陽之光照着我，
我在山頭海上，俯瞰着大地
山色青翠，海水嫩黃，多麽可樂的喲——
可是，一陣狂風，或一陣暴雨，

我就不自支了，又不知吹送我到何許！
落在山之崖，陷溺水之底．
我眞是受自然的幸福頃刻，
受造物之蹂躪永恆………

（二三，九，二八．于上海浙江里寓樓．）

西子湖　三首

一

西子湖！憶起你了：
西泠橋畔的楊柳，
對風搖曳，頻拜蘇小。
蘇小墓旁的青草——
萋萋的青草，
惹我愁思，不知多少！

二

西子湖！憶起你了：
三潭印月的薄暮，
我和幾個朋友
駕着一葉小舟遨遊。
點點螢火，環繞着我們四周。
燦爛的繁星，在天水兩底滾流！

三

西子湖！憶起你了：
靈隱寺中的月夜，

秋心的詩

獨倚修竹，靜聽秋聲：
潺潺的泉籟，唧唧的蟲鳴。
秋風吹着竹梢，
蕭蕭瑟瑟的低吟。
靜聽半晌，我的塵念消去！
心曲幽靜。

（二三，二，十八，于上海。）

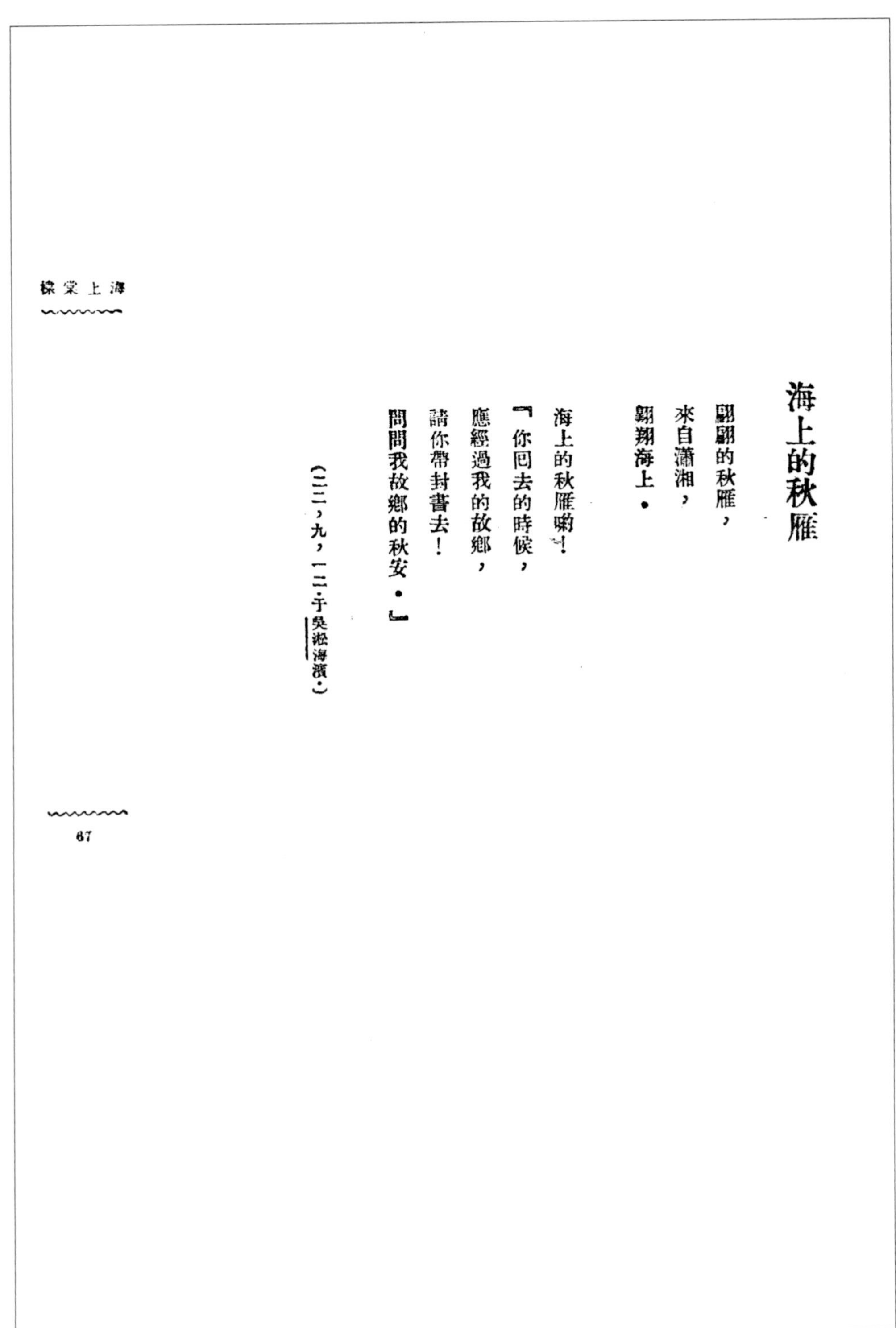

海上的秋雁

翩翩的秋雁，
來自瀟湘，
翱翔海上．

海上的秋雁喲！
「你回去的時候，
應經過我的故鄉，
請你帶封書去！
問問我故鄉的秋安．」

（二一，九，一二．于吳淞海濱．）

秋夜

夜深了，秋睡去了。
推開着窗櫺，
只有半輪明月
涎着臉兒，在那樹頭上相窺。

踈踈地的樹影
鋪着地面，動也不一動！
俄而，秋風颯颯地吹來
落下幾片樹葉，把秋驚醒了，
四處徽徽波着秋聲。

四處徽徽波着秋聲，
我的心琴也起來共鳴：
『酣睡的人們呀！快快醒來聽聽！
秋聲已破了大地的沉寂……』

（二二，八，十六夜于杭州西湖，陶社。）

秋江

——偕L於江濱散步——

浩漫漫的秋水，
沉寂寂的江干。
秋風陣陣地吹來
樹葉蕭蕭地聲響。
一輪明月
掛着在天上。
一葉孤舟
泊着在江岸。

吾愛，你看！
舟兒望着明月，
明月滿面顯着歡暢。
月亮照着孤舟，
孤舟全身被着銀光。
哦，我知道了：
這輪明月，

便是舟兒的良伴．
這葉孤舟，
便是月亮的情郎．
但是我又想着：
舟兒有日離着江干，
月亮照着無情的波浪．
月兒一宵披着雲衣，
孤舟陷入可怕的幽暗．
那時伊們的心中，
還是不免「孤獨」的感傷．

吾愛，你聽！
伊們在那細細商量：
『舟兒，我的情郎！
我憐你形影仃伶，
我憐你身寄異鄉．
我願永恆地照着你，
願你不要離開着江畔！』
『月亮，我的良伴！

我愛你的心懷坦白，
我愛你的神情清朗。
我願永恆地戀着你，
願你不要離開着天上！」

伊們傾誠的憐愛，
不管着人間天上。
伊們深深地同情，
彌補着未來感傷。
伊們眞是超絕呀！
伊們眞是達曠！
哦，我贊伊們之超絕，
我羨伊們之達曠。
我願化爲舟兒，
吾愛化爲月亮。
吾愛化爲月亮！
我孤舟似的心魂，
早已上極穹蒼，
在那銀海裏飛駛，

在那銀海裏遨翔。

浩漫漫的秋水，
沉寂寂的江干。
秋風陣陣地吹來，
樹葉蕭蕭地聲響。
一輪明月
挂着在天上。
一葉孤舟
泊着在江岸。

（二二，八，一九黃昏于TT江濱。）

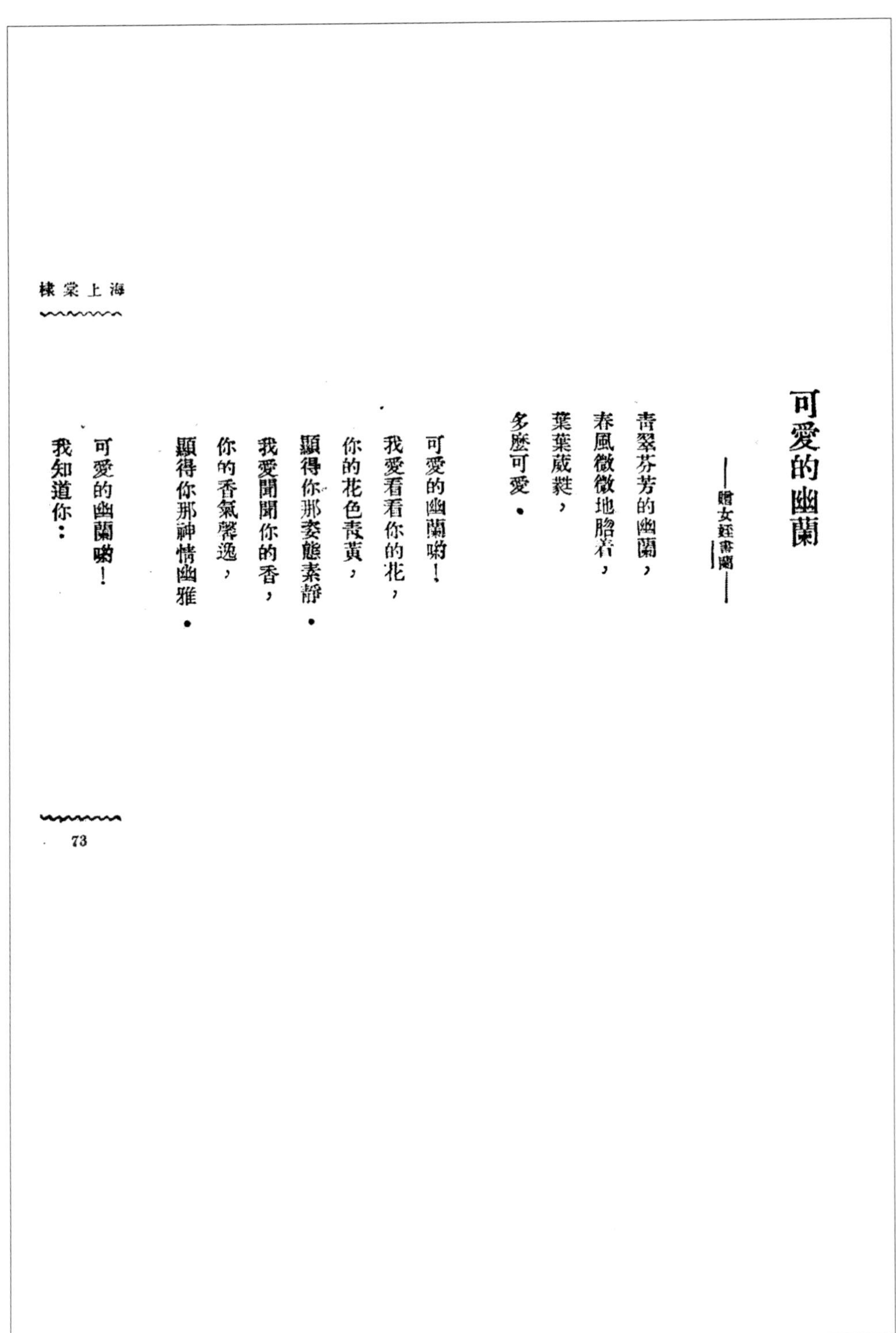

可愛的幽蘭

——贈女姪書蘭——

青翠芬芳的幽蘭，
春風微微地胳着，
葉葉葳蕤，
多麽可愛．

可愛的幽蘭喲！
我愛看看你的花，
你的花色靑黃，
顯得你那姿態素靜．
我愛聞聞你的香，
你的香氣馨逸，
顯得你那神情幽雅．

可愛的幽蘭喲！
我知道你：

你不是尋常的小草，
你是草中的『君子』；
你不是尋常的小花，
你是花中的『美人』。

青翠芬芳的幽蘭，
春風微微地脗着，
葉葉葳蕤，
多麼可愛。

（一三，二，一八，予上海大學。）

一個提籃採花底姑娘

吾友疑山少年曾作「Imagin tion」一詩，描寫其愛女性的心理盡致．今朝於遊中驀然憶起，頗覺該詩有 Wooing in love 的趣味，遂引起我的詩興，產生此篇．

嬌紅嫩綠的叢林裏，
輕黃淺碧的草地上，
佇立一個綽約的天使——
一個提籃採花的姑娘．
她採着紅色的花兒，
輕輕的放在籃裏．
她採着白色的花兒，
慢慢的掛在襟上．
她採着黃色的花兒，
悄悄地插在鬢邊．
她採着紫色的花兒，

秋心的詩

細細地玩弄觀看．
呈着娬媚的姿態，
顯出可愛的模樣．
哦，蛺蝶在那翩翩飛舞，
蜜蜂在那嗡嗡歌唱．
我見着這個採花的天使，
我便這般暗暗思量：

採花的天使—可愛的姑娘！
假使你贈着我一朵花兒，
我定把這朵花兒，䏚着千遍；
令牠的香氣沁入我的胃腸！
採花的天使—可愛的姑娘！
假使你贈着我一朵花兒，
我定把這朵花兒，凝神細瞧；
令牠的魂兒和我的魂兒結鬪！
採花的天使—可愛的姑娘！
假使你贈着這一朵花兒，
我定把這朵花兒，帶回我的書房．

76

白天插着瓶中令牠作我的良伴；
幽夜置在枕邊和牠結下不解的情歡！

我和這朵花兒這般做着，
假使有人問我，我便這樣回答：
我愛這朵花兒，爲的這朵花兒
可以清我烈火般樣心腸！
我愛這朵花兒，爲的這朵花兒
可解以我戀慕中的惆悵！
我愛這朵行兒，爲的這朵花兒
可以慰我心頭無限幽傷！

（一三，五，麥熟時，于滬北，麥秀村中。）

秋心的詩

帶雨的梨花

雨住了，天放晴了，
春風隨着陽光吹來，
園裏的百花都迎着風兒微笑了。
只有一枝帶雨的梨花，
還躲在那裏灑淚，
還躲在那裏流涕。
『梨花妹妹喲！
你何傷心如許：
在怨着昨宵的幽暗嗎？
在恨着無情的暴雨嗎？
唉！幽暗已除，暴雨已去，
此刻已是可愛的春晨，
無際的風光明媚！
你快揩乾眼淚罷！
醉人的春風，爛縵的陽光，
都抿着嘴兒，在那笑你。』

（二一，三，三。于雲秀女學今改之）

78

庭菊

——寄慰「失戀」的C嫂——

庭前的菊花，
當着皎潔的秋天，
綠的，紅的，黃的襯着
欣欣地，多麼有生意。
如今——如今秋去了，
如斯零落，如斯憔悴。

憔悴的菊花喲！
我同情你心中的悲慮，
我在替着你飲泣傷悲：
可憐你那蓊蓊的生命，
朔風凋零，繁菊摧毀！
可憐你那不幸的遭際，
零落一身，寄人庭宇！
可憐你那凄涼的故園，
三徑蕭荒，荊棘遍地！

秋心的詩

唉！可憐你的孤微，
可憐你的身世，
舉世沒有陶公！
那裏去尋你的知己？
但是菊花喲！
你尚有「後凋」的操守，
你尚有「傲霜」的勇氣。
你的雅操
就是你內心的華美。
你的高傲
就是你無尙的尊貴。
你的尊貴
隱逸在超士心裏，
你的華美
常得着詩人贊譽。
你休怨「失時」啊！
青松．你的良伴，
綠竹，你的姊妹，
都在那替你賀詞：

「一瞥眼冬殘春去……」

(三，十一，一五·于上海浙江里寓樓·)

贈——

愛友晏如，別後音信杳然！心常念念昨宵忽得來書，滿紙悲楚！字字血淚！情意極纏綿悱惻之致。讀之，不禁淚下，作此以報之。

窗內的孤燈，
啊，孤燈照着我灑淚。
窗外的秋風，
啊，秋風在替我噓唏。
當這麼一個漫漫的長夜，
心頭充滿着悲哀的回憶：

『不管相思，不管別離，
似水的流光，只管匆匆過去！
晏如呀！我們同學時的歡愛，
我們結社時的友誼，
回想起來，眞個春夢一場罷了！！
我們西湖遊罷，海上暫袂，

又有幾時，一瞥眼也都過去了！
如今——如今我落拓海上，
你鬱居故里．
我們心頭留着的只有痛苦！
我們眼中留着的只有血淚！
唉！晏如呀！
長相思，悠悠此別離！——

窗內的孤燈，
啊，孤燈照着我灑淚．
窗外的秋風，
啊，秋風在替我噓唏，
當這麼一個漫漫的長夜．
心頭充滿着悲哀的回憶：

（一二，九，十八夜接晏友的來信時）

秋心的詩

懷——

——西湖別她之後——

我和她，
原來是兩個最親愛朋友。
不料一到西湖，
就彼此疎淡了。
因此我忘不了她，
也忘不了西湖。
當我在西湖和她作別的那一日，
她送別我，她祝福我，
我却一句話也沒有和她說——
怱然別她了！
我已覺得有點對她不住，
總想尋個機會向她一訴衷曲；
可是和她再見了，
又高興不起。
幷且覺得她也和我一樣——
一樣被迫于內心了！

84

你看！你看她和我再見面的時候，
她的神情是多麼抑鬱不安喲！
只是，只是可惜我和她
終久『兩心不語』的分離了！

（一二，九，二三・于上大・）

雪中的悲劇 有序

雲秀女學，是我們兄弟姐妹組織的一個學校．方開辦一年，即成績大著！家庭，社會各方面都受很大影響．因此遭家長們嫉視，屢蒙摧殘．至去年勢將摧殘使之停辦．我們寒假歸來，起而維持，并和諸姐妹做種種『促家長覺悟』的運動．不料反而受家庭大打擊．Y妹且因運動稍涉激烈，尤遭家長一番慘無人道的笞撻！我們目擊傷心，聚諸姐妹謀『家庭改造』．我家B父竟以此譏諷我們和諸姐妹有曖昧情事，拿出家長無上威權！如狼似虎的……致演成我們弟兄雪天出走的慘劇！正是去年今日之事，憶之，猶有餘痛！

黑雲罩着的一座平林，
忽然一陣烏煙瘴氣撲來．

啊啊，惡魔來了——
猙獰似的惡魔來了！
來趕着我們了。
我們的姐妹
個個嚇得暈絕倒地了！
四顧蕭條，
只有我們弟兄兩個！
喊納嗎，四周都是惡魔！
那裏有人敢出來救應。
奮鬥嗎，白手空拳！
又如何行得……
弟弟呀！我們跑能——
快快穿過這平林跑能！
跑呵！跑呵！跑到中途、
陣陣貶人肌骨的朔風吹來，
紛紛如錦似絮的雪花飄下。
我們的衣衫盡白了！
我們的手足冰凍了！
我們全身的細胞戰慄了！

秋心的劇

我們眼中的淚濤傾瀉了！

我們絕大的犧牲呀！

我們無上的侮辱呀！

憤懣，悲哀，悽楚──種種情緒；

圍繞着我的心頭．

我心頭的熱血，頓時沸沸地了！

我要──我要噴薄熱烈之血

向惡魔澆去！

我要──我要拿出剛强之拳

向惡魔打去！

可是一回首，惡魔早已不見了。

我只有這樣安慰我的弟弟：

弟弟呀！看呵！

前面已是巍巍的雲山了！

前面已是浩浩的修江了！

我們快快奔向無限的前途呵！

我們的前途隱隱現着光明了！

（一三，一，三十，「改造家庭」失敗出走的紀念日）

88

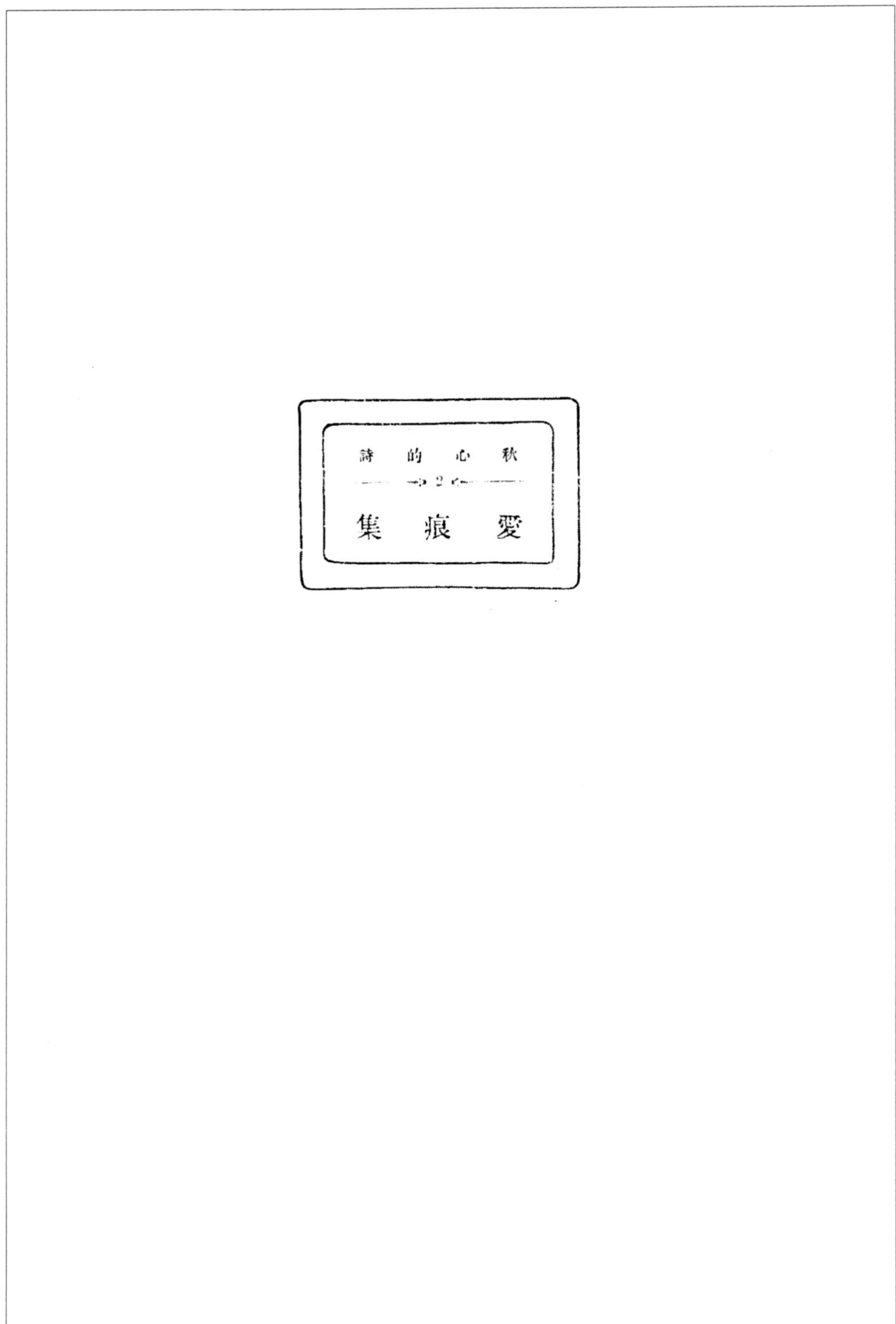
秋心的詩
2
愛痕集

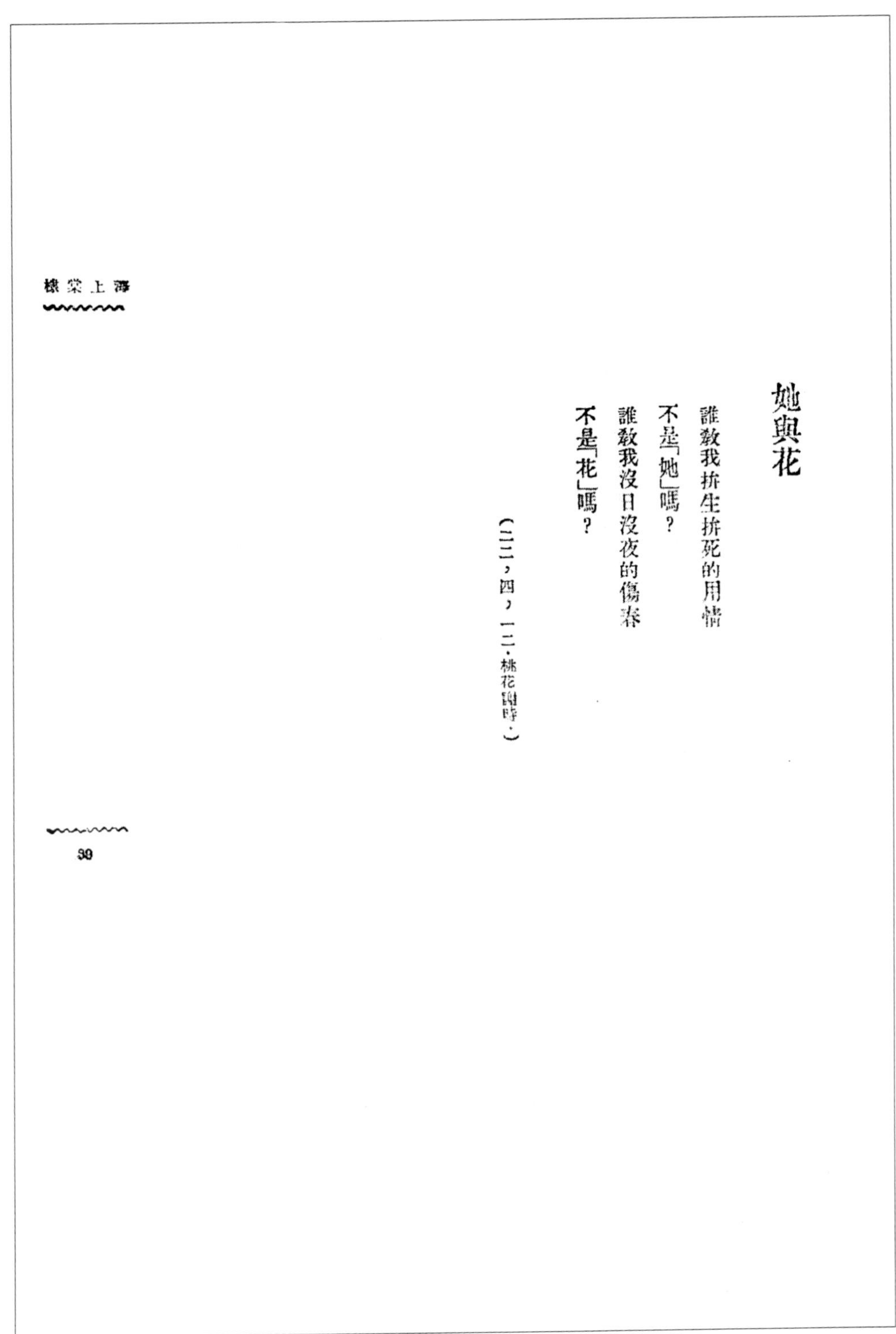

她與花

誰敎我拚生拚死的用情
不是「她」嗎？
誰敎我沒日沒夜的傷春
不是「花」嗎？

（二二，四，一二．桃花開時．）

相思

一縷一縷的相思，
緊緊地綑着我的心絃
一絲兒也不放鬆！
且默默的向我說道：
『秋心！你解「愛情」嗎？
儂要教愛情愁死你！』

（一三，五，一八，于晨社）

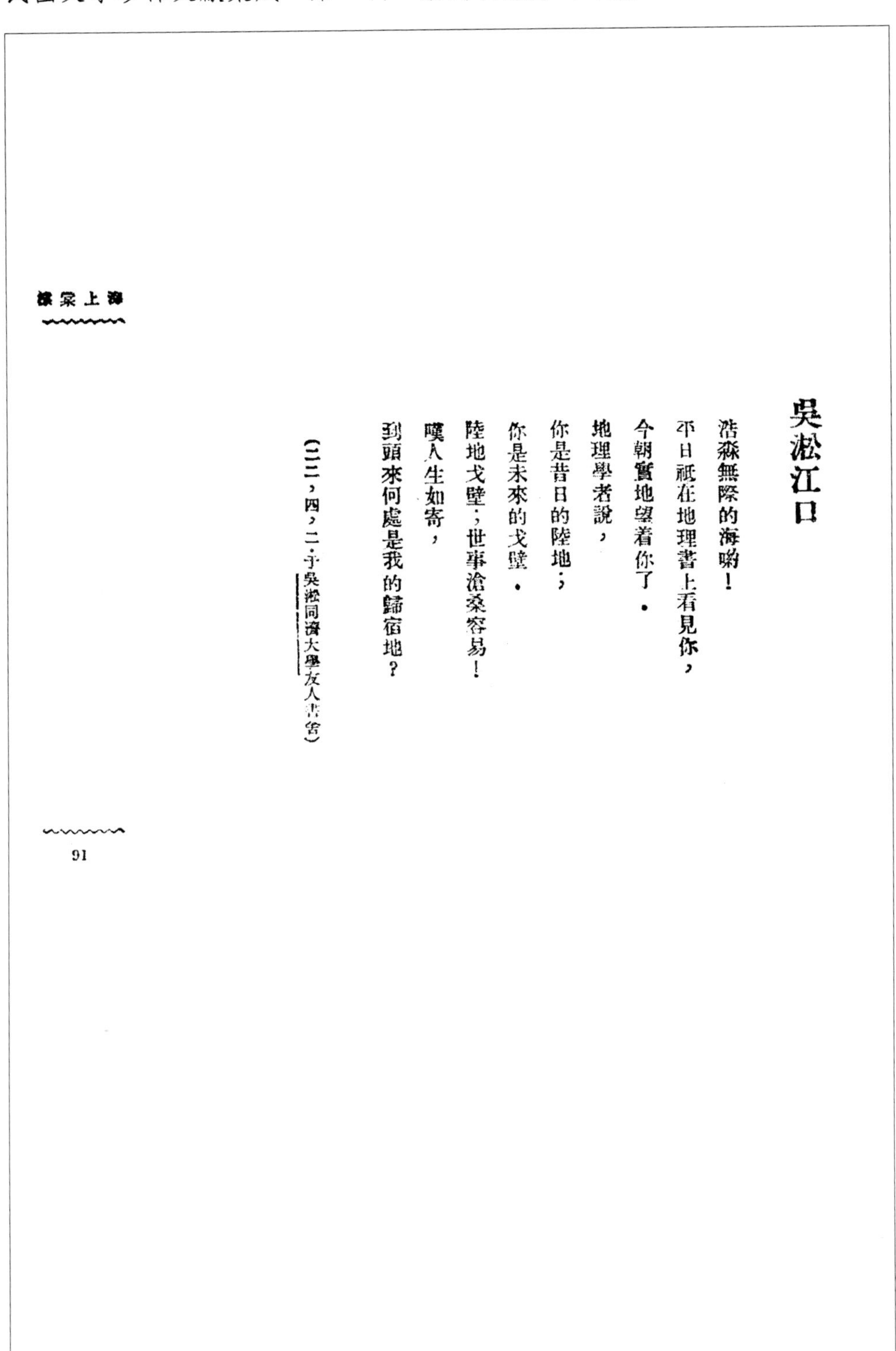

吳淞江口

浩淼無際的海喲！
平日祇在地理書上看見你，
今朝實地望着你了．
地理學者說，
你是昔日的陸地；
你是未來的戈壁．
陸地戈壁；世事滄桑容易！
嘆人生如寄，
到頭來何處是我的歸宿地？

（三二，四，二·于吳淞同濟大學友人書舍）

讀郁妹的信

許久不給我音信的郁妹，
我只有暗暗地思之．
今朝忽接來信，細細訴我心頭語．
我讀了——又是悲酸，又是歡喜，
悲酸歡喜；那堪回憶臨別時！

（三二，四，五．于上海東南高師）

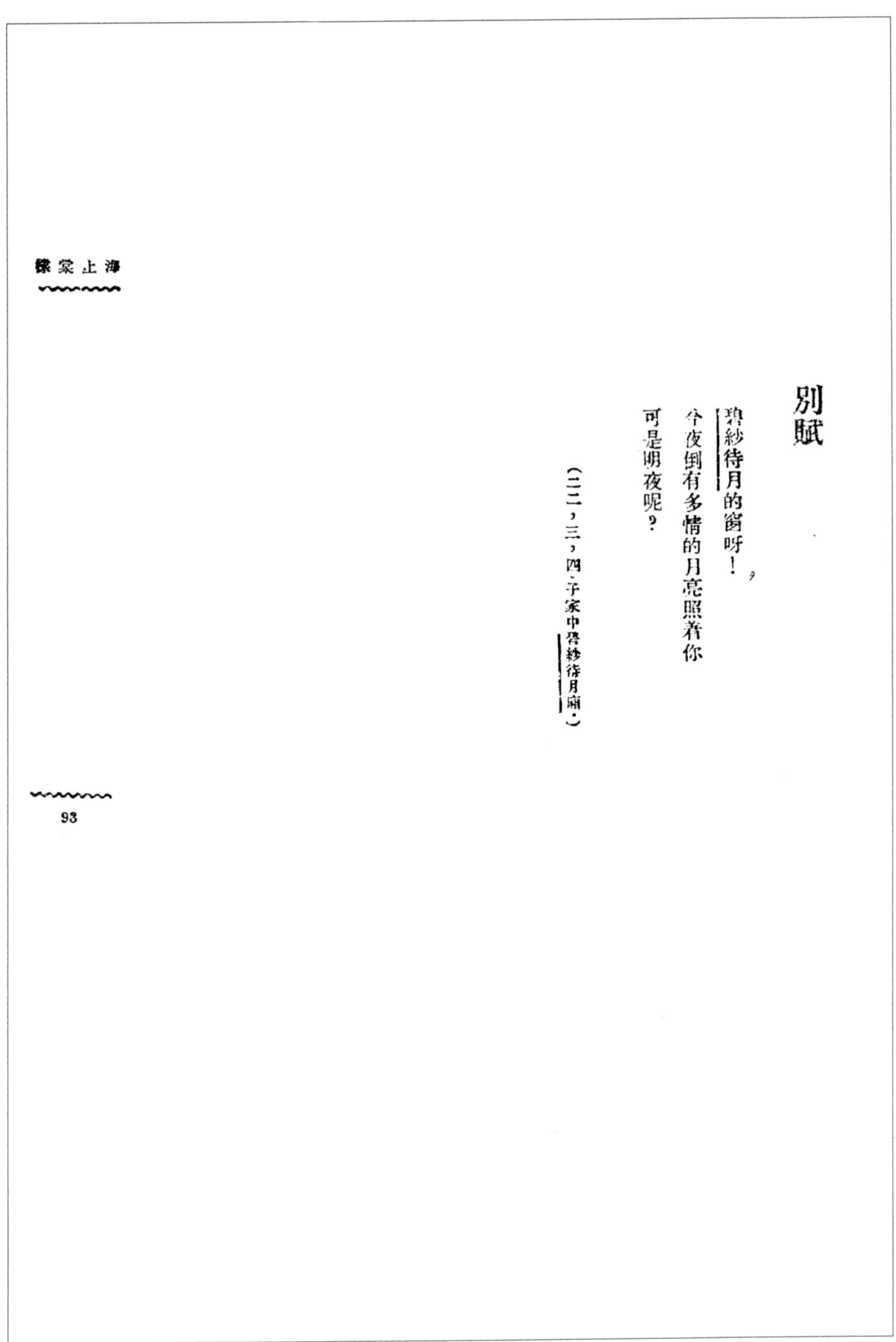

別賦

碧紗待月的窗呀！
今夜倒有多情的月亮照着你
可是明夜呢？

（二二，三，四，于家中碧紗待月廂。）

寄母親

——嘆吾此身長飄泊
頻催慈母鬢髭霜——

頭上頒白的母親呀！
你的兒不覺別來一月多了；
兒別了，你姥不知又添白髮多少？

（二三，三一，二五，于上海。）

愛痕

伊說我是個小孩，
伊愛我天眞爛漫．
伊敎我喊伊做姐姐，
好像待小弟弟般的待我．

我的痛苦是伊給我的，
我的安慰也是伊給我的，
我自己却不知道
甚麼痛苦，甚麼安慰！

（一二，四，十三．于東高農社）

Love

我想她時，她偏不睬我．
不想她時，她偏來惹我．
我嗔着說：
『你不該這樣顛倒我！』
她笑答道：
『我要把你的心打碎呢！』

我明知道她立意顛倒我，
我并不以顛倒我而嫌她．
我明知道她有心播弄我，
我並不以弄播我而不愛她．

（一二，五，八．于東高晨曦文學社．）

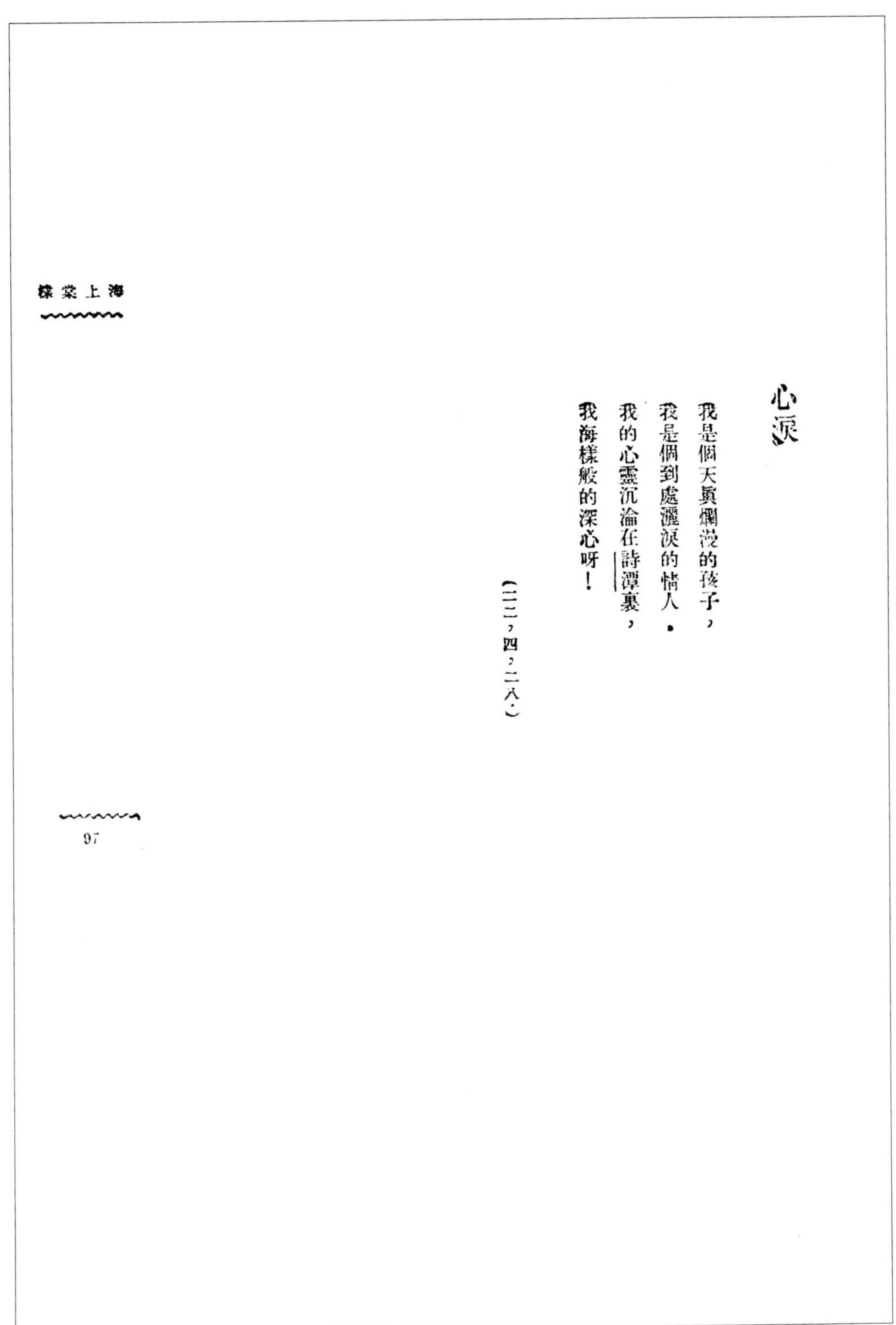

心淚

我是個天眞爛漫的孩子，
我是個到處灑淚的情人。
我的心靈沉淪在詩潭裏，
我海樣般的深心呀！

（一二，四，二八.）

春窗

一隻蜜蜂入我窗，
「嗡嗡嗡嗡……」
向我耳邊唱
好像告訴我：
「儂來這裏伴着你，
窗外同伴採花忙。」

（二二，三，二八．于東南高師．）

自題小照寄F

吾愛！仔細打量我的面龐兒

消瘦否？

（一二，五，二八于上海。）

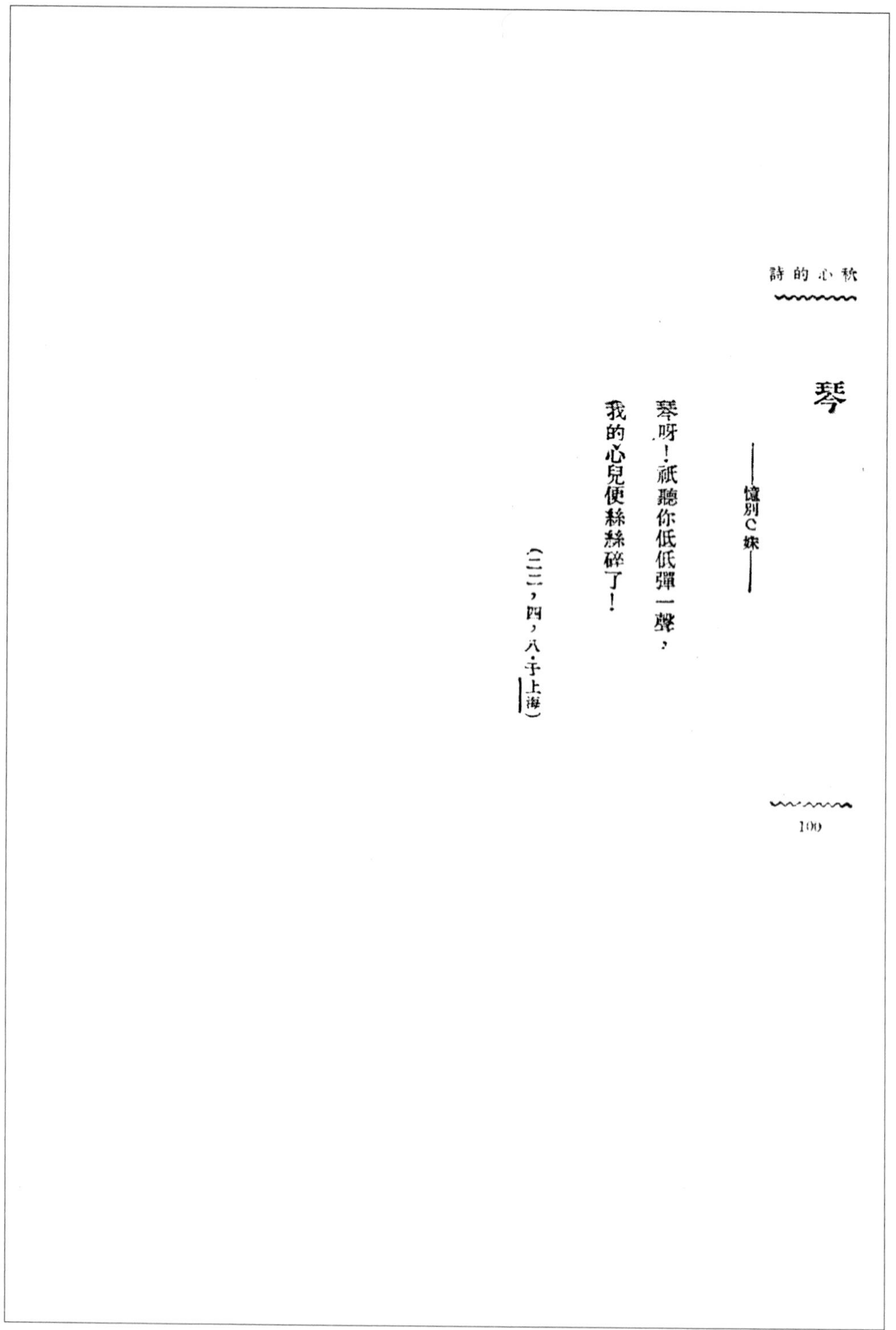

琴

——憶別C妹——

琴呀！祇聽你低低彈一聲，
我的心兒便絲絲碎了！

（二二，四，八，于上海）

不了的煩悶 四首

昨日之日也煩悶今日之日也煩憂
春來不覺春光好但覺心中裝是秋

（一）

不了的煩悶呀！
你是不自由的囹圄嗎？
我不是罪人，爲甚麼總困着我？

（二）

不了的煩悶呀！
你是年青姐妹兄弟的魂兒嗎？
不然爲甚麼總纏着她們呢？

（三）

不了的煩心呀！
我的學問之田被你荒廢多了！
如今！如今我要收心到荒田裏工作去了。

（四）

不了的煩悶呀！
你眞不了嗎？
你了呵！快樂之神惱你了！（二二，四，二八）

黃了的麥 小詩

我住的屋子之下多種麥苗
來時麥苗青青不覺就黃了

（一）

麥苗兒黃了，春天已去遠了·
黃了的麥呀！

（二）

麥苗兒黃了，鳥雀飛來啄麥喫·
黃了的麥呀！

（三）

麥苗兒黃風了，婌把他的背吹駝了·
黃了的麥呀！

（四）

麥苗兒黃了，農夫來割麥回家去·
黃了的麥呀！

（二二，五，一六·于卓高第一宿舍·）

悲楚之劇

——紀環弟在醫院開刀療病的慘況——

透滿衣襟腥紅一片的血呀！
不是從我的弟弟頭上流出來的嗎？
不是在醫生底刀口上洗過的嗎？
躺在牀上如死去般的弟弟呀！

頭上白布纏滿了，腦後黑髮染紅了。
眼睛瞪着，遍身冷着。
祇有胸前點微氣，
在那一彈一彈的呼吸。
躺在牀上如死去般的弟弟呀！

弟弟呀弟弟！
我明知道你不是死去，
是迷藥迷住你的心竅。
我不哭，我且問你：

『你這兒的靈魂那兒去了？
是不是在和病魔宣戰？』
唉！戰勝了病魔，也苦了你的軀殼．

『咿呀！咿呀！咿呀！……』的聲音
微微從口中呼出。
眼睛也一下一下的蹬扎着．
呀！我的弟弟「再生」了！
呀！我的弟弟戰勝病魔了！

『痛喲！痛喲！痛喲！……』的呼聲
又從口中呼出，
還帶着些哭聲．
病魔在那邊笑着說：
『你雖戰勝了我，我却要痛死着你！』
『天呵！地呵！朋友呵！哥哥呵！
我實在不勝痛苦…難受！難過！』
這樣聲聲地慘叫着，大哭着．

病魔却高踞枕上拍手高謌：
『病夫！你也終敵不過我！』

弟弟呀弟弟！
你聽見病魔的高謌麼？
他這麼掘强，你恁地柔弱．
我雖口裏這樣說，
可是目覩着他血濺肩背；
耳聽着他呼痛的慘聲，
眼中的淚珠兒，不住向着肚裏灑落．

慘淡的浮雲，罩着病院淒清！
柳梢頭上的小鳥，時時在着哀鳴．
俄而，電燈放亮了，我並不知夜來，
待到窗縫兒光了，我也還沒睡覺．
整夜裏眼睛灼灼地，
向着我聲聲呼痛的弟弟．

（二二，五，二二于·上海寶隆醫院病室·）

聽罷杜宇（散文詩）

海上景闌，中江春去。杜宇聲聲，聲聲勸着我歸：

『飄蓬異地的客子呀！你的故鄉山水俊秀！你的故鄉風光明媚！家室瀰滿着和平的音樂！庭園開遍了燦爛的花枝！你快快歸去諦聆諦聽！你快快歸去觀玩摘取！』

聽罷杜宇，我的意與淒迷。不覺跑到無邊的平疇，仰望着白雲飛馳。啊，白雲飛馳，我的心兒早隨着白雲飛去遠道三千的故里！我看見我白髮頒頒的母親，在家倚着門閭。我看見我年紀輕輕的愛人，在着幽閨暗暗悲啼。假使我不歸去，不是要望穿我母親含淚的老眼，假使我不歸去，不是要灑盡我愛人的相思血淚！

啊，我要歸去！我的故鄉還有許多親愛的朋友，我的故鄉還有許多親愛的姐妹。啊，我要歸去！永修的社會也要我去改造，永修的少年也要我去鼓勵。啊，我要歸去！我不能忘情我的教育事業！我不能辜負我的求學初志！杜宇，你莫啼！待着荷華放發，我便負着無底的詩囊歸去！

（二三，七，三．）

秋心的詩
3
憶遊集

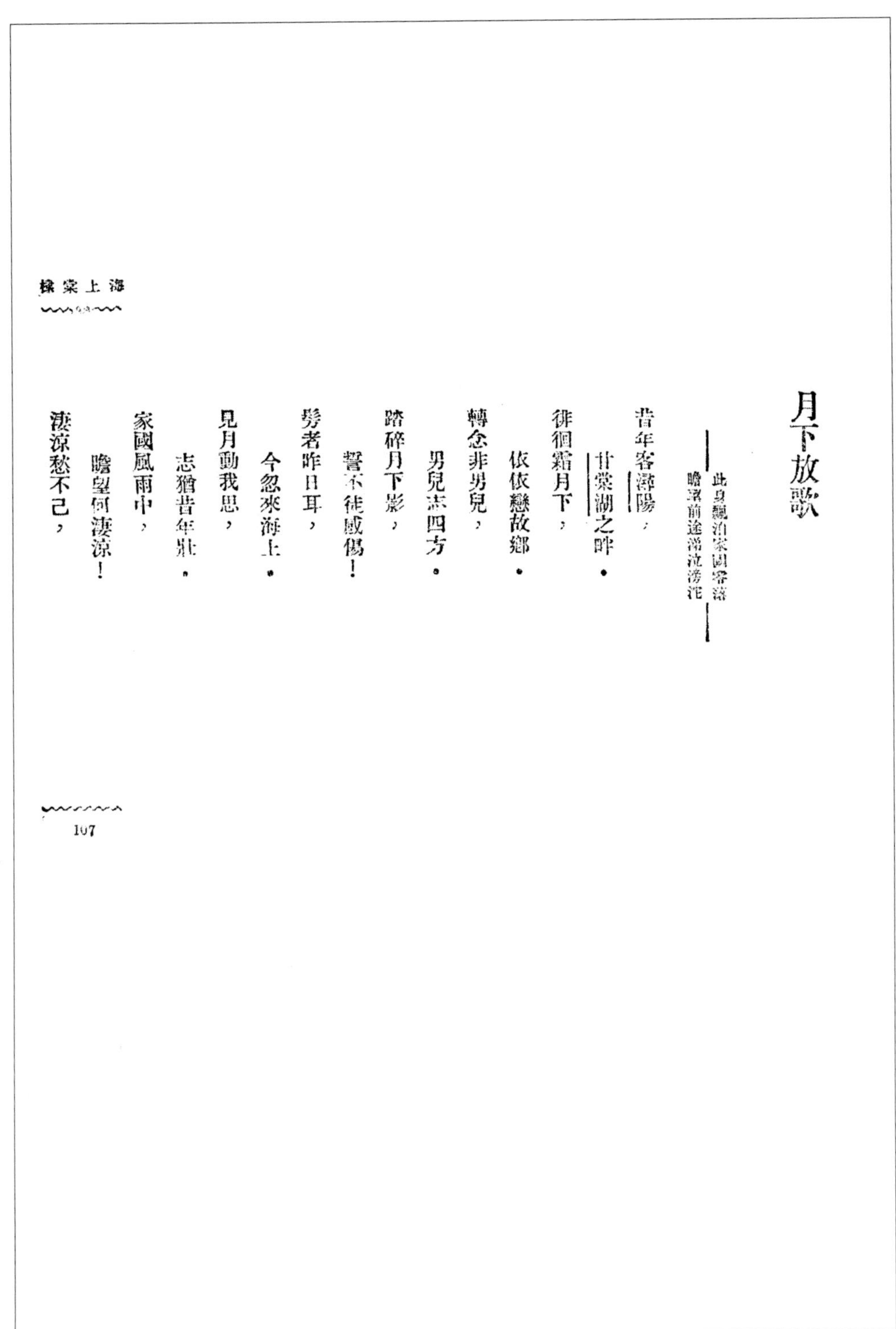

月下放歌

——此身飄泊家國零落
瞻望前途滄流滂茫——

昔年客潯陽，
　甘棠湖之畔。
徘徊霜月下，
　依依戀故鄉。
轉念非男兒，
　男兒志四方。
踏碎月下影，
　誓不徒感傷！
髣者昨日耳，
　今忽來海上。
見月動我思，
　志猶昔年壯。
家國風雨中，
　瞻望何淒涼！
淒涼愁不已，

詩的心聲

時己屆歲寒．
誰有歲寒心？
草木盡凋黃！
羨彼松與柏，
我願倚松旁．
賢者相隱去，
羣盜日猖狂
嗟乎吾家國，
愁斷我肝腸！

（三二，一二，二．夜于上海大學．）

106

憶潯陽

憶潯陽，憶潯陽，
潯陽是我之第二故鄉．
我憶潯陽潯陽城，
我憶潯陽潯陽江，
潯陽城上草色青，
潯陽江頭水浩蕩。
潯陽風俗多樸茂，
潯陽兒女多端莊．
我客潯陽有半載，
識結多是窕窈之女郎．
窕窈之女郎
向晚無事常邀我，
聯袂共憑潯陽江．
潯陽江頭看夕陽，
夕陽返照霞滿江．
江上水鷗時飛鳴，
漁人棹槳謌淸暢——

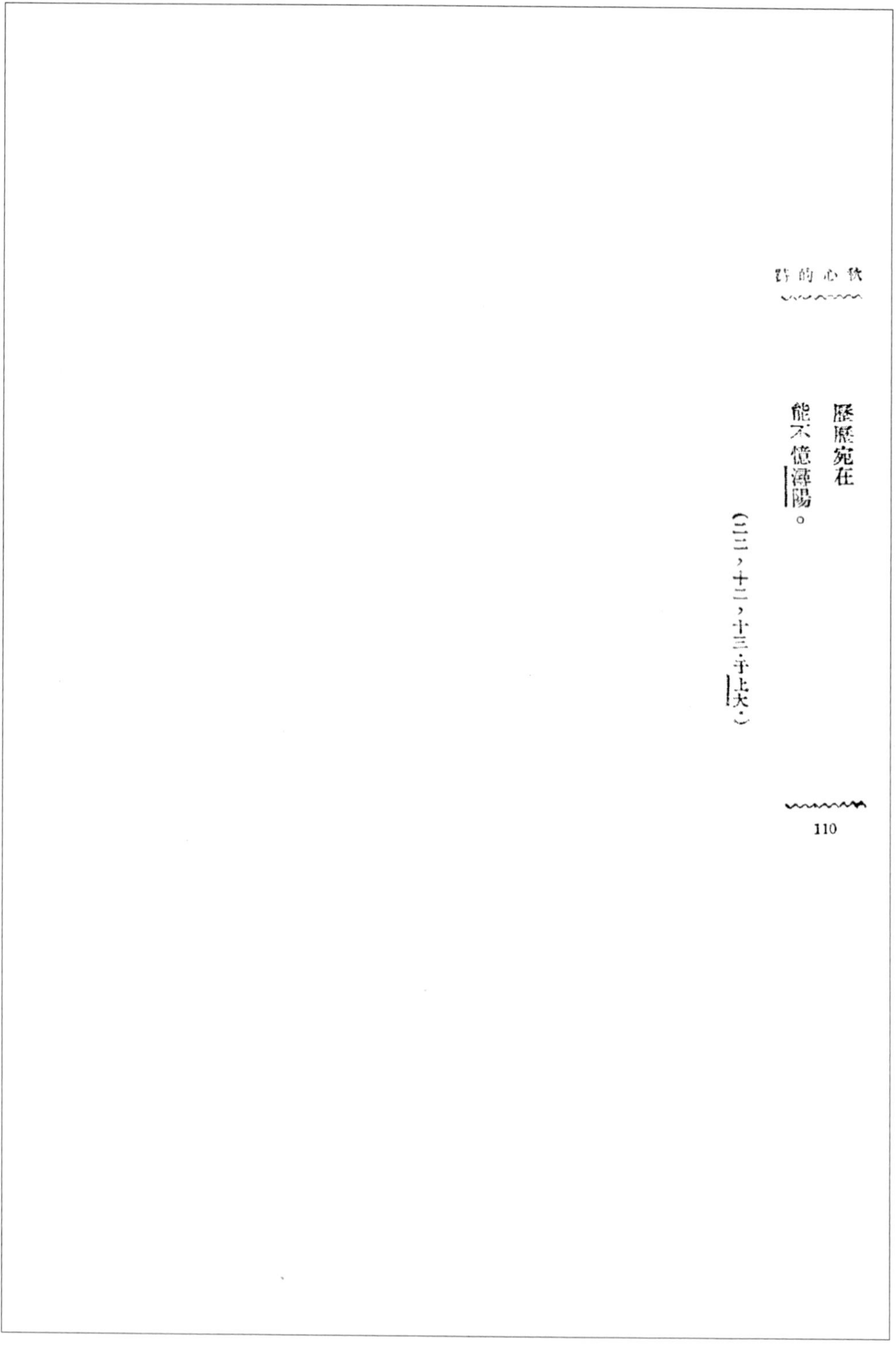

歷歷宛在

能不憶瀋陽。

（二二，十二，十三，于上大。）

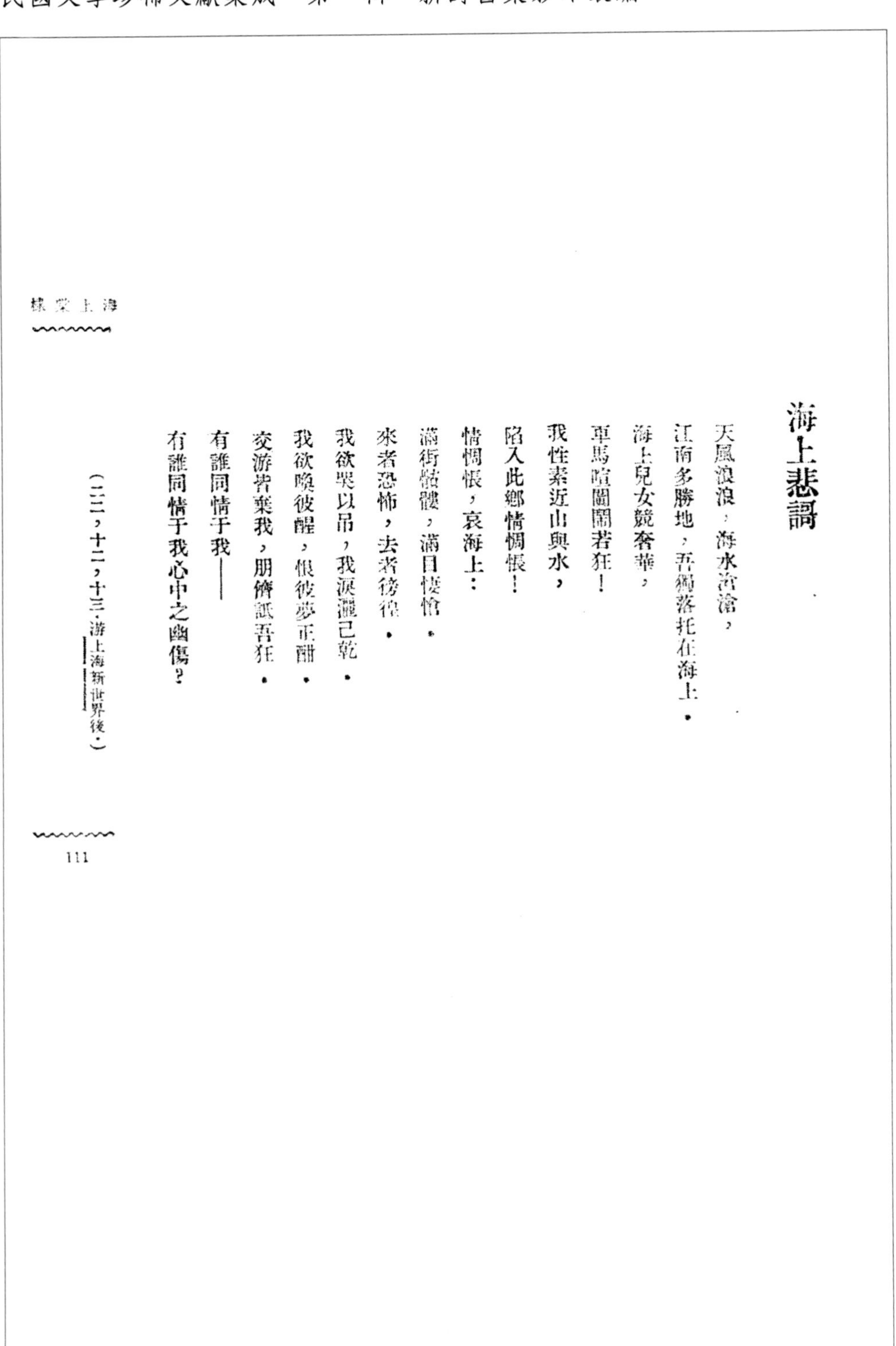

海上悲詞

天風浪浪，海水滄滄，
江南多勝地，吾獨落托在海上。
海上兒女競奢華，
車馬喧闐鬧若狂！
我性素近山與水，
陷入此鄉情惆悵！
情惆悵，哀海上：
滿街骷髏，滿目悽愴。
來者恐怖，去者彷徨。
我欲哭以吊，我淚灑已乾。
我欲喚彼醒，恨彼夢正酣。
交游者棄我，朋儕詆吾狂。
有誰同情于我——
有誰同情于我心中之幽傷？

（二二，十二，十三，游上海新世界後。）

秋心的詩

思故鄉

——漫漫秋夜烈烈北風涼
鬱鬱多悲思綿綿思故鄉——

前夜星辰何燦爛？
今朝天氣蕭條何？
今朝呵今朝！
今朝也休了！
蕭條呵蕭條！
蕭條也今宵！
今宵我岑寂，
今宵我多愁。
多愁多所思，
所思在故鄉：
故鄉有母親，
恩愛之情海樣深！
故鄉有姐妹，
生離不能長相親！
故鄉有良友；

常常慰海我勤殷！
我今思之心欲往，
恨彼山川阻且長！
何時奮飛有緣期？
把酒共唱別離歡。

（二二，九，二一夜，于上海浙江里寓次。）

秋思詞

——中秋日寄賦秋——

往事縈心空悲切，
今日憶君腸斷絕！
說不盡心中所欲言，
年年總是離別，
可憐閒裏客邊，
辜負了多少團圞月！

（三三年秋節于上海客次）

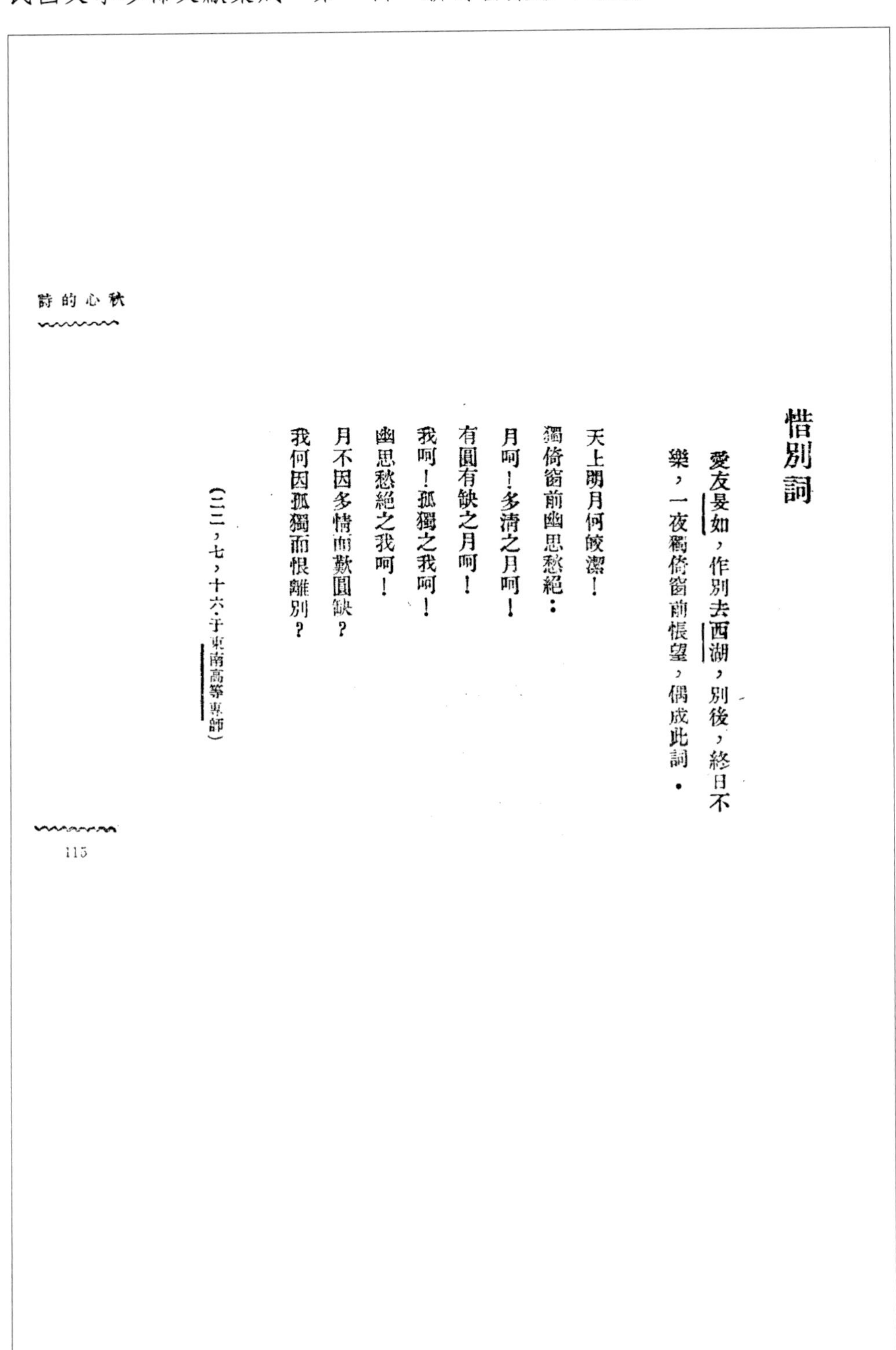

惜別詞

愛友晏如，作別去西湖，別後，終日不樂，一夜獨倚窗前悵望，偶成此詞。

天上明月何皎潔！
獨倚窗前幽思愁絕：
月呵！多清之月呵！
有圓有缺之月呵！
我呵！孤獨之我呵！
幽思愁絕之我呵！
月不因多情而歎圓缺？
我何因孤獨而恨離別？

（一二，七，十六，于東南高等專師）

中秋月下得句寄武昌友人 兩首

一

「但願人長久！
千里共嬋娟。」
我想今宵此際，月下花前
你也誦此句；
我也唱此詩，
沒些兒辜負彼此情！
沒些兒辜負團圞月！
離別，別離是常事，
何必回憶去年中秋月。

二

「吾心自有光，
明月千古團圓永無缺！」
可笑你我去年時，
說甚麼今夜月光
格外清圓，格外清切。
清圓清切；

豈必三五中秋月！
還是我們心理的習慣，
逃不掉這無意識的時節！

（二一，九，一六夜．于九江甘棠湖畔．）

春之曲

春來我不知，
花開我正惱。
綠滿我窗前，
想是春深了？
春深了！春深了！
但見東園花落繽紛，
不聞樹頭啼鳥。
怕的春深，
春便要去了！

（二三，四，于上海東南高師。）

憶遊篇（十八首）

一

一縷一縷的輕煙，
一朵一朵的浮雲，
向着海外消逝，
向着天上飛昇。
頃刻雲煙交溶，
化作一羣蒼鷹。
啊，蒼鷹—雲煙的化身！
祝你們超脫了惡濁寰塵！

二

海水紅潑了！
是什麼奇景：
上帝灑着的血淚呀？
海岩噴出的火星？
啊，夕陽的返照，
晚霞之燦明！

三

寶玉般的圓空，
一片澎茫迷濛。
白峯搖震，
銀濤怒湧。
東君疾忙躲避了，
啊，天野起了狂風！

四

望不斷的遠方！
怎沒有峯巒阻障？
啊，此地是海濱樂土，
平原坦蕩！

（以上四首是憶吳淞海濱一帶景物）

五

溪頭點綴着落英，
水上平鋪着浮萍。
青翠的蒲劍，
叢插着溪濱森明～
啊，蒲劍！
可是保護那可愛的景物，

防禦着人們侵凌？

六．

美麗的蛱蝶，
對對蹁躚如意：
或落在花間蹈舞，
或飛上空中遊戲．
「甜蜜的戀愛者喲！」
我私心這般贊美．

七

一個窈窕的姑娘，
手裏拿着枝釣竿．
站在繡幕底下，
哦，佇立綠蔭池旁．
池水起着漣漪，
游魚參梭來往．
我贊一聲「美呀！」
驚着她抬起頭來
顯出着嬌羞模樣．

八

密密鋪着野外的白綾，
微微閃着璀璨的光品。
不是冬天，
那裏來的雪景？

九

披着白衫的小羊，
「咩咩咩咩……」
在着村前呼喚。
村中跑出個小孩：
「羊兒，我的小朋友！
我倆結下侶伴！
去那「伊甸」園中遊蕩。」

十

一叢一叢的花枝，
夾着一溪流水，
水是多麼淸漪！
花是多麼明媚！
我忘不了心頭的幽憂，
但對着落花流水依依。

十一

戴着滿頭珠玉的姑娘，
哦，蓬勃着花枝的籬落。
蜂兒在花間謳唱，
小蝶在籬上婆娑。
美麗的圖畫——
蜂蝶的樂國喲！

十二

紅着臉兒的夕陽，
沉在澎湃茫茫的遠方。
遠方不知何處——
西天佛祖的樂土呀？
我旦夕懸念的家鄉？

（以上八首是憶滬北[illegible]秀橋一帶景物）

十三

太陽照着疏林，
林間鳥雀和鳴。
我站在一條小徑，
領略着田家風景：

農夫耕着村前，
村婦浣着溪濱。
溪頭佇立個少女，
神情娟靜。

十四

蜂兒在花間延佇，
蝶兒在路旁躊躇。
好像捨不得陽春？
好像迷戀着樂途？
可是一陣不做美的春風
不知吹送着伊倆之何處！

十五

郊外春風和暢，
幾個紙鳶兒
飛在空中翱翔。
『小朋友，
暫且下來！
我也插着翅兒，
伴你同上雲端。

十六

一片澄碧的玻璃，
啊，平靜的秋水！
秋水上面
鋪着幾塊浮萍，
飄泊之何許？

十七

秋陽灑着池畔，
滿地鋪着繁霜。
光輝的秋陽呀！
沉寂的故鄉。

十八

樹上憔悴的枯葉，
陌頭黃萎的衰苔。
慘淡的斜陽照着，
滿目淒涼，悲哀。
一隻飛倦的雲鳥，
翩翩自海上飛來。
報告海上的消息——

細訴詩人的幽懷：

「海上飄泊的詩人，
飄蓬着海上兩載。
朝朝駕着一葉輕舟，
早晚隨着狂潮往來。
往來唱着情曲，戀歌，
常常向着海洋哭哀。
他哭着他自己陷溺深淵，
他哭着愛人兒沉淪獄海。
可憐他那斷腸的歌哭，
可憐他那飄泊的生涯。
終久尋不着他魂兒的歸宿，
祇是在海濱悵惘，徘徊。」

（以上六首是憶滬北宋園一帶景物）

（一三，夏節·于上海大學）

詩的心懷
1
春郊集

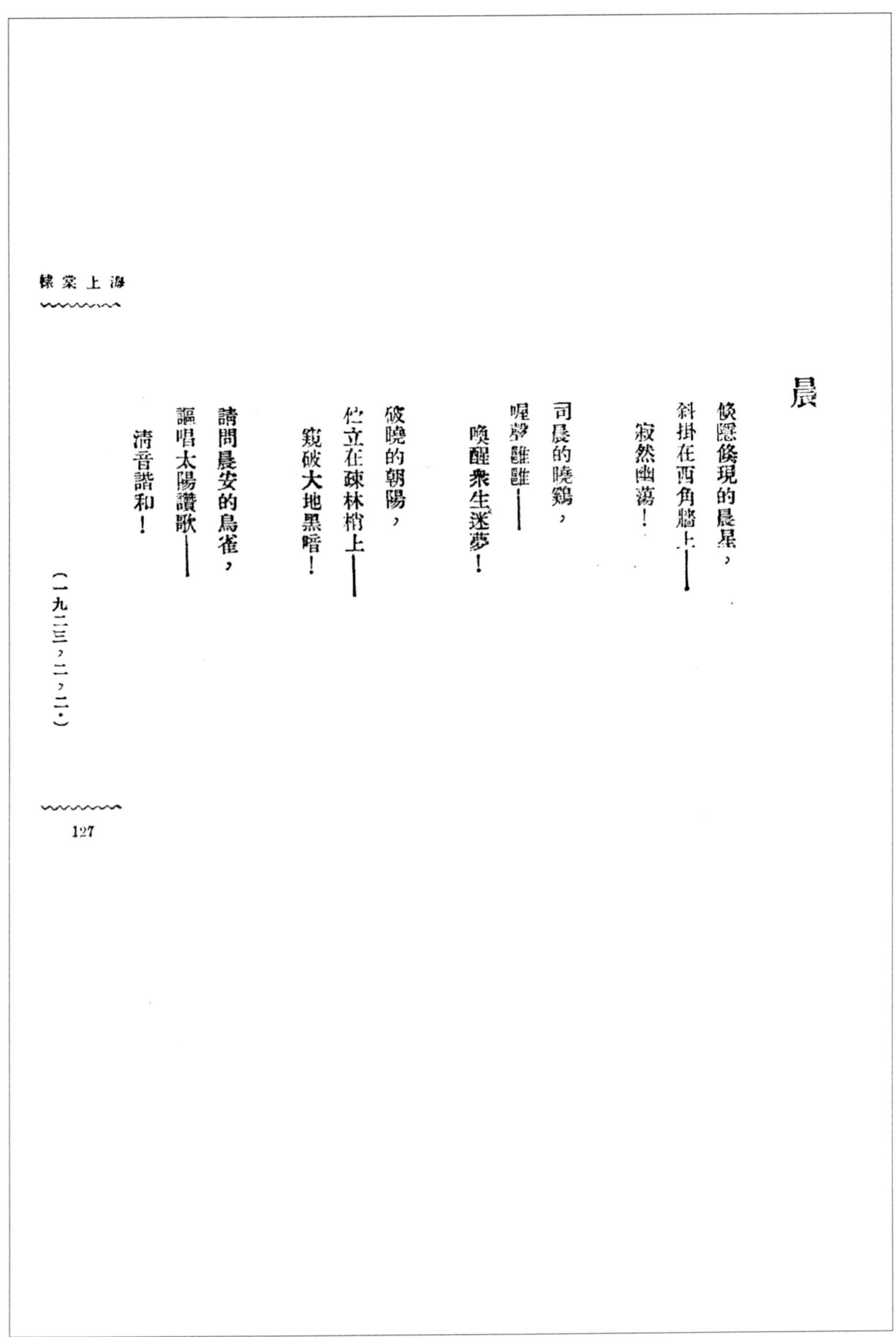

晨

倏隱倏現的晨星，
斜掛在西角牆上——
寂然幽蕩！

司晨的曉鷄，
喔聲雝雝——
喚醒衆生迷夢！

破曉的朝陽，
佇立在疎林梢上——
窺破大地黑暗！

請問晨安的鳥雀，
謳唱太陽讚歌——
清音諧和！

（一九二三，二，二。）

日暮悵望

一輪紅日，竄入西山，把一天美景收藏。
池畔的垂楊，有對對歸鴉在着飛迴，嘻唱，
像是歡送那西墜的夕陽。
我眼遠望着西墜的夕陽，
我心遙想我那夕陽下面的故鄉。
哦！故鄉的心愛人兒！
你可知道我心中的思量？

幾星燈火，在那深深林中閃蕩；
一弦月亮，早隱現于西方。
濛濛煙霧，點點星光，
裝成了全副薄暮景象。

哦！星光，月亮——我的良伴！
我在這孤獨落寞的世界當中，
只有你能依舊親親地和我相望！

（一九二三，四，一七，上海）

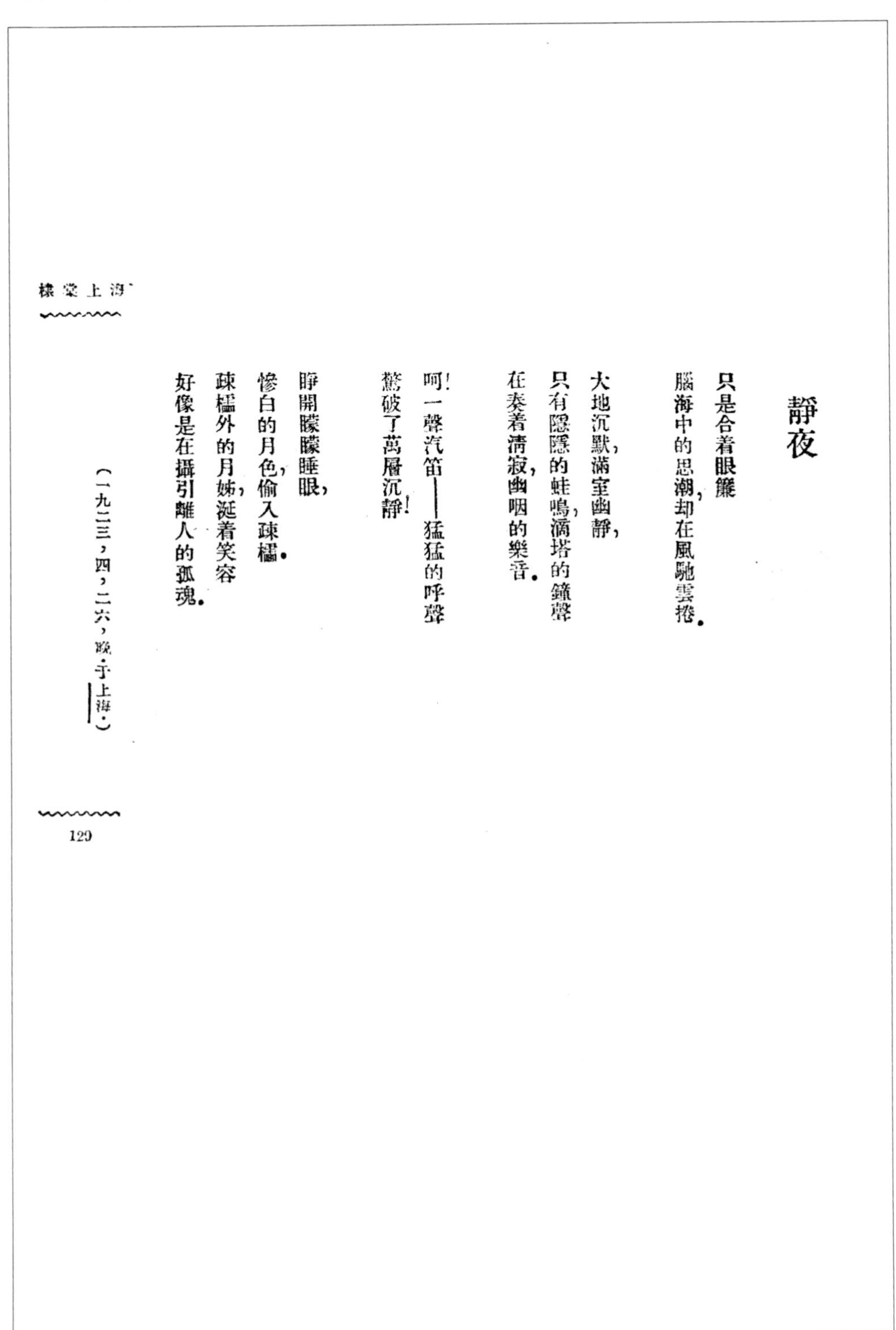

靜夜

只是合着眼簾
腦海中的思潮，却在風馳雲捲。

大地沉默，滿室幽靜，
只有隱隱的蛙鳴，滴塔的鐘聲
在奏着清寂幽咽的樂音。

呵！一聲汽笛——猛猛的呼聲
驚破了萬層沉靜！

睜開朦朧睡眼，
慘白的月色，偷入疎櫺。
疎櫺外的月姊，涎着笑容
好像是在攝引離人的孤魂。

（一九二三，四，二六，晚，于上海。）

題克羣小影

天使喲！我望着你久了！我等着你急了！
我不見着你呢，我是何等地孤苦喲！
我看着皎潔的明月，就想到你那澹泊的胸懷；
我看着燦爛的麗日，就想到你那鮮豔的容顏；
我當着清涼的早晨，和着沉寂的深夜；
更想到你的一切溫存，一切和諧！
可是，我今日不知有怎麼似的幸福得着你了；
靈魂兒就得了安慰！—有如枯苗之遇時雨！

哦，天使喲！你那莊重而且溫和的姿容，
我是何等地欽羨呀！
你那柔媚的眼兒，香甜的唇兒
以及風韻而帶微笑的頰兒，
我又是何等地神馳而歡悅呀！
啊啊！從今後我是快樂人了！
不再是江海飄零之客了！

（一九二三，二，一六，中江）

Euterpe 底讚歌

故鄉雲秀女學諸姊妹，貽我一張八人在芳草茂林中，各執樂器一項作吹奏式之照片．諸人神態均美妙而綽約，余因想及希臘神話裏九女神中之 Euterpe，乃作此．

青青的草地，森森的林裏，
自然的樂園中，托落着
一隊翩翩的少女——
哦，一隊的 Euterpe 呢！

是疎竹的瀟聲？是小鳥的飛鳴？
是流泉的潺湲？是落木的蕭森？
是閨中兒女嗚嗚咽咽，泣訴衷情？
是鐵騎金鎗鏦鏦錚錚，搏鬥交鳴？

哦哦！原來是

洞簫聲的噰嚨，籥笛聲的嗌嗌，
竽笙聲的熙緩，鳴琴聲的切緊，
是衆樂的交響共鳴，
是Euterpe奏着和平的樂音！

啊啊，Euterpe喲！
你們是個有生命的江河，
你們是個照徹人生的明波。
我讚頌你們的神情美妙，
我讚頌你們的姿態綽約。
我還要高讚你們在這
擾攘腐臭的世界當中，
有這麼淸新平和的音樂！

（一九二三，五，一四，上海大學。）

擬蘇子夜遊赤壁歌

哦哦！東山巒裏的一片明鏡呀！
恁樣地瑩白，皎潔，清明。
流蕩着在江面上的清風呀！
恁樣地惺忪，輕曲，雕容。

那懸崖峭壁的高山，豎立在江邊。
一帶青青如練的江水，引托着遊船。
橫江的白露，漫容的微星
都是造物者賞賜我們的金縷，輕衾。
哦！我們是自然的愛子呀，天國的仙人！

我不知什麼是人生的悲怨；
我相信人生只有愉快歡忭。
萬物開張在面前，
儘任着我們享受消遣。
人們的慾海，雖是塡不滿的深淵；
造物者的輸送，也是個源源不息的流川。

哦哦！朋友呵！月在歡笑，風在咏吟，
大自然中的宮殿，深深藏着的瑤英，
可容我們的安適，容我們的探尋！

（一九二三，四，二六。）

〔附白〕此歌本出于拙作——赤壁夜泛之劇中，不曾單獨發表。今以其本有獨立之性質，故另立篇名入此。

春郊（七首）

（一）

春風吻着楊柳，
楊柳陶醉在春風懷裏搖曳。
哦！「愛」的酒力喲！

（二）

溪旁啄泥的燕子
又在殷勤地幹你的工作！

（三）

美麗的蝴蝶哥哥，
玲瓏的蜜蜂妹妹，
倆在自然的懷中，
永結着雙雙伴侶。

（四）

溪水起着漣漪；
天上的行雲在水中遊戲。
大自然的徵妙喲！

（五）

溪旁的浣衣姐姐！
你覺得春水溫暖嗎？

（六）

鶯哥投入桃花懷中，
現出異樣的歡樂！
唱着甜蜜的戀歌．

（七）

小徑上負着擔兒旅客呀！
你只是低頭前走，
是尋你的歸歇嗎？

（一九二三，三，一九．滬北之三楊橋）

淞滬車上

打開玻璃窗子，
放進一片春光：
蔚藍縹緲的空間裏，
三隻兩隻自由小鳥
迴環飛翔。
好似擺脫了塵世俗冗之
在那清朗的天空內，
顯出着無限的歡暢！

打開玻璃窗子，
放進一片春光：
碧油油的麥葉，
黃騰騰的菜花，
把大好春光收藏。
更有一莊一莊竹林裏，
襯着幾朵淡妝桃花
正在那兒開放。

愈顯得春光明媚，
更添了幾許新樣！

打開玻璃窗子，
放進一片春光：
青藍短衫的農夫，
耕翻那輕柔疎鬆的土壤。
還有三三五五尋野菜的婦童，
眼裏一邊望着地面，
口裏一邊呀呀地唱歌。
看他們那番自由活潑的形態，
好似把大自然的美景
一概飽嘗！

（一九三三，四，二三，吳澄。）

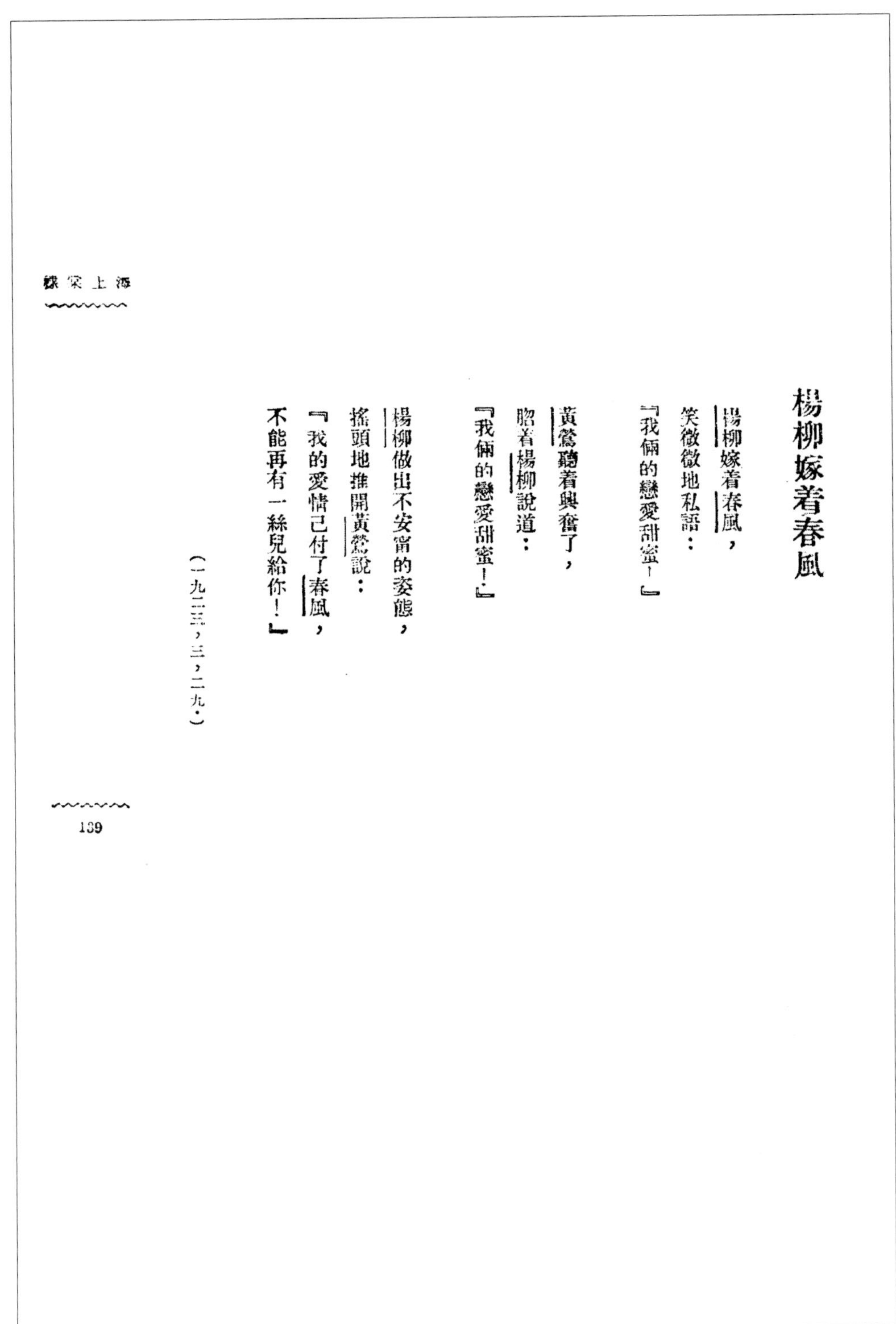

楊柳嫁着春風

楊柳嫁着春風，
笑微微地私語：
『我倆的戀愛甜蜜！』

黃鶯聽着與奮了，
眧着楊柳說道：
『我倆的戀愛甜蜜！』

楊柳做出不安甯的姿態，
搖頭地推開黃鶯說：
『我的愛情已付了春風，
不能再有一絲兒給你！』

（一九二三，三，二九．）

五月五日寄C妹

記得去年今日
同事蠶桑：
你把蠶兒驚我，
嚇的我手忙腳亂，
哄笑一堂？

記得去年今日
共聚課堂：
我把字兒問你，
你忸怩不肯起立回答，
減殺了我爲師的尊嚴？

記得去年今日
月下踏步歡暢：
時而競走，
時而迷藏，
時而舞蹈，

時而歌唱．
鬧到人盡月斜，
大家還依依不肯分捨？

唉！C妹！
今日呢？
今日呢？
你居鄉里，
我處滬江，
相隔千里，
徒增悲悵，
客裏風光，
愈令心傷！
歡談何能再得？
惟有書信來往！

親愛的C妹喲！
日月易逝，
人事滄桑，

同是今日，
事如天壤！
明年後年之你我，
又何是種景況？
又是何種悲傷？

（一九二三，「XX」，予上海。）

黃浦江口

茫茫海水！
何處是你的彼岸？
你這般渺無垠際的奔流，
幾時才得休養？

茫茫海水！
為甚麼這般怒狂？
一個兩個的水波，
接接連連地打上．
想是恨那凹凸不平的泥土，
猛猛地把牠平蕩！

茫茫海水！
怎顯出這麼混黃？
半尺水深的魚兒，
誰也不能見望．
想是青年男女的淚血，

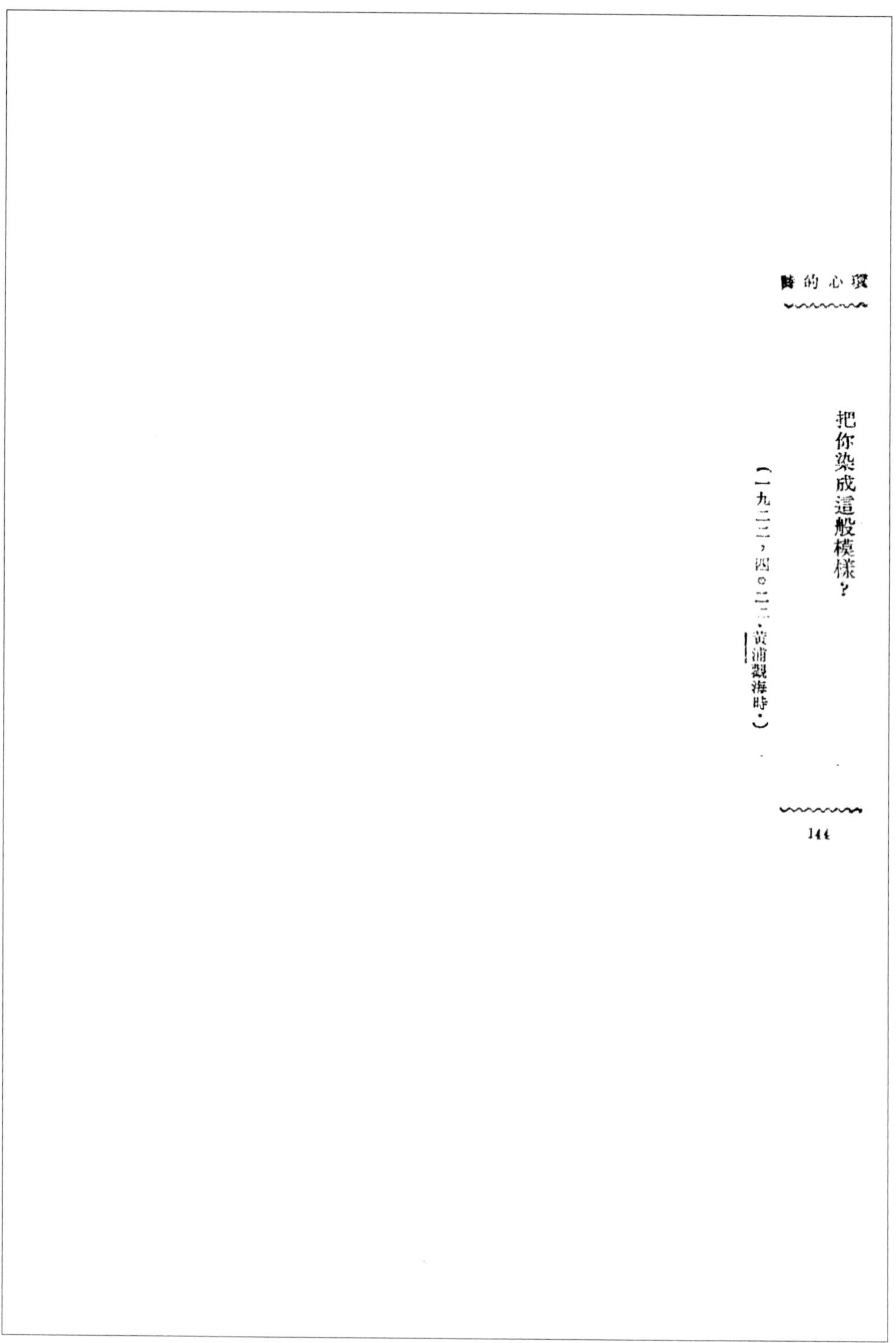

把你染成這般模樣？

（一九三三，四，二三，黃浦觀海時。）

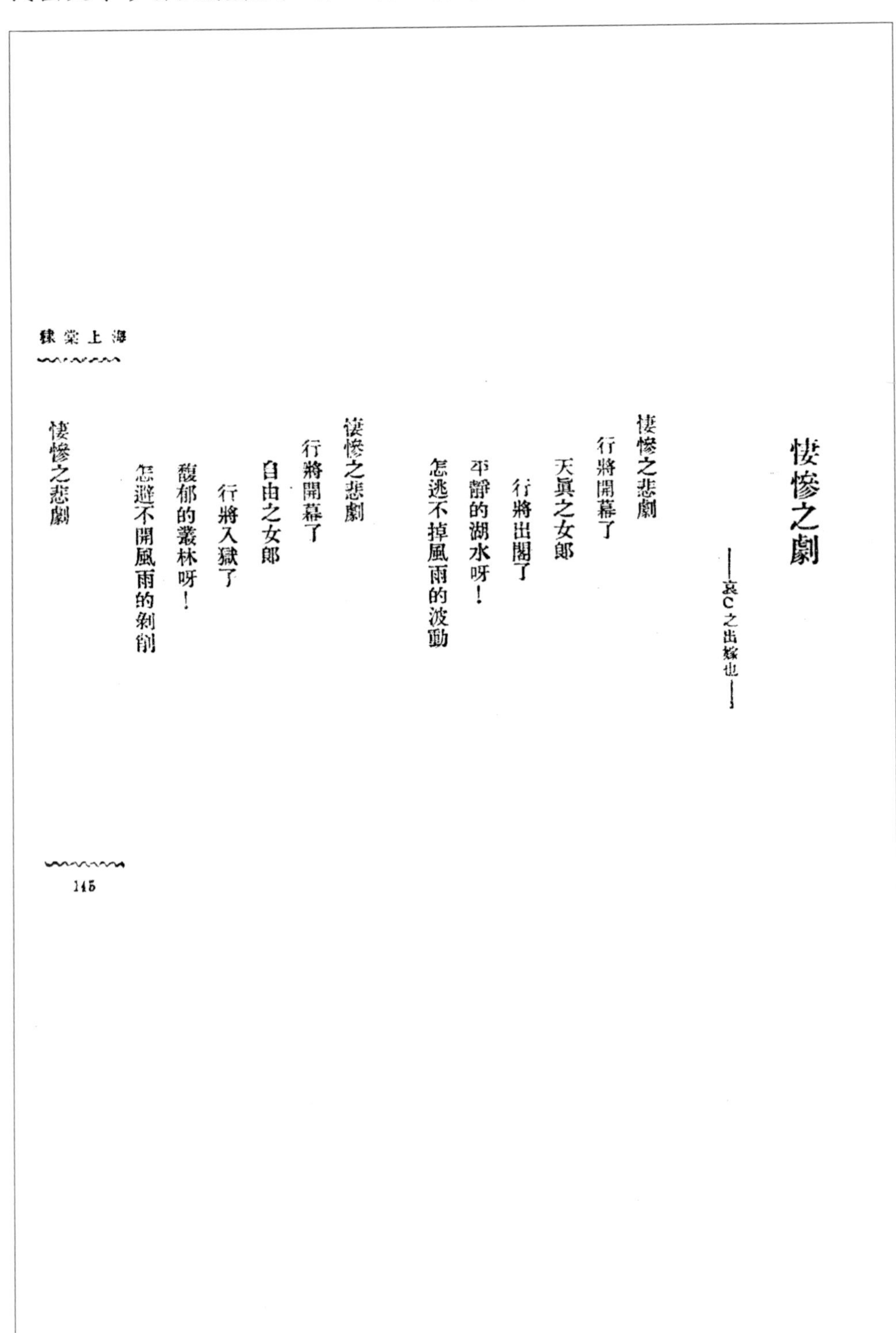

悽慘之劇

——哀C之出嫁也——

悽慘之悲劇
行將開幕了
天眞之女郎
行將出閣了
平靜的湖水呀！
怎逃不掉風雨的波動

悽慘之悲劇
行將開幕了
自由之女郎
行將入獄了
馥郁的叢林呀！
怎避不開風雨的剝削

悽慘之悲劇

行將開幕了
窈窕之女郎
行將禁錮了，
清涼的旭日呀！
怎衝不破雲霧的網羅

（一九二二，十一，十五·上海大學·）

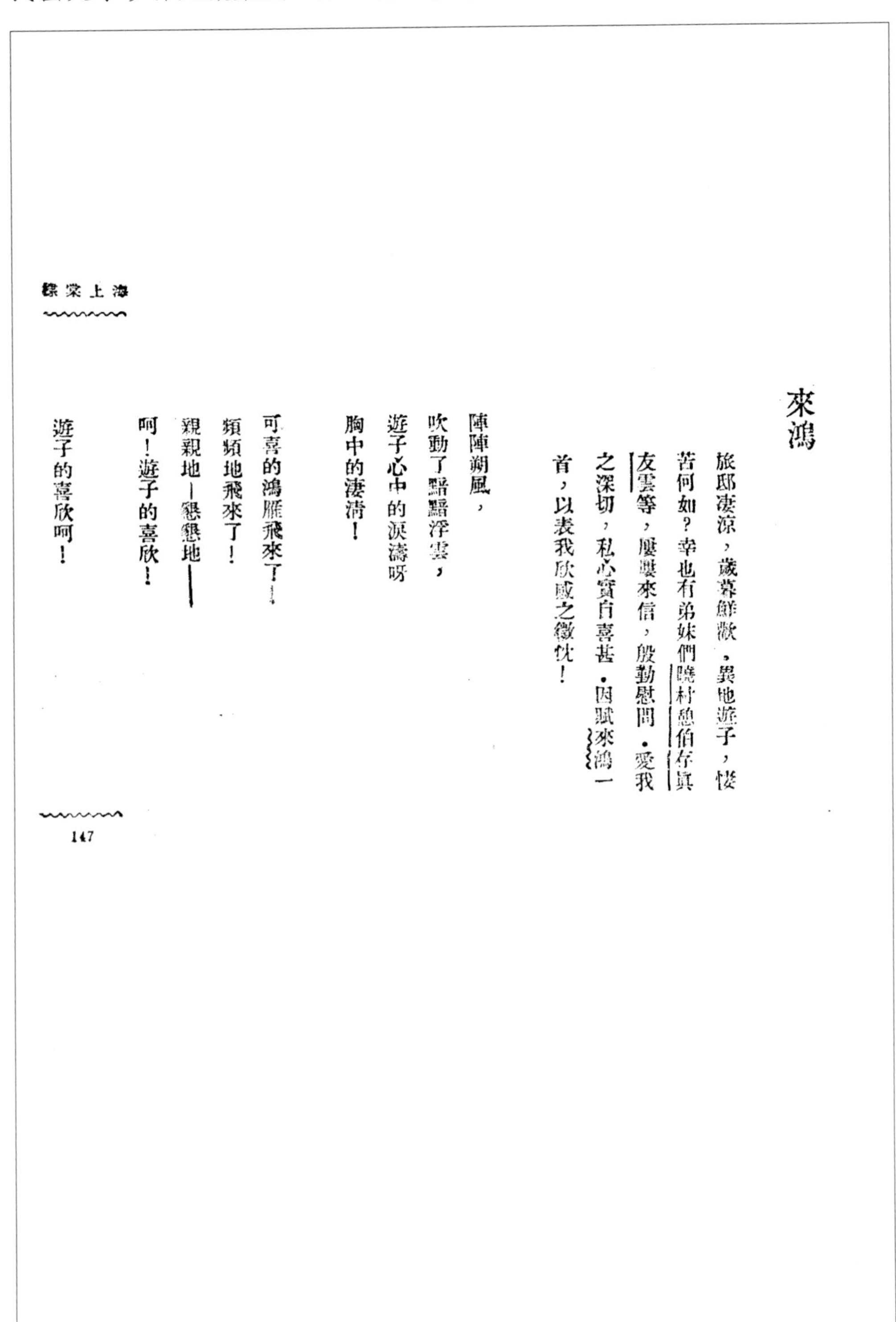

來鴻

旅邸淒涼，歲暮鮮歡，異地遊子，悽苦何如？幸也有弟妹們曉村懋伯存眞友雲等，屢屢來信，殷勤慰問。愛我之深切，私心實自喜甚。因賦來鴻一首，以表我欣感之微忱！

陣陣朔風，
吹動了黯黯浮雲，
遊子心中的淚濤呀
胸中的淒清！

可喜的鴻雁飛來了！
頻頻地飛來了！
親親地—懇懇地——
呵！遊子的喜欣！

遊子的喜欣呵！

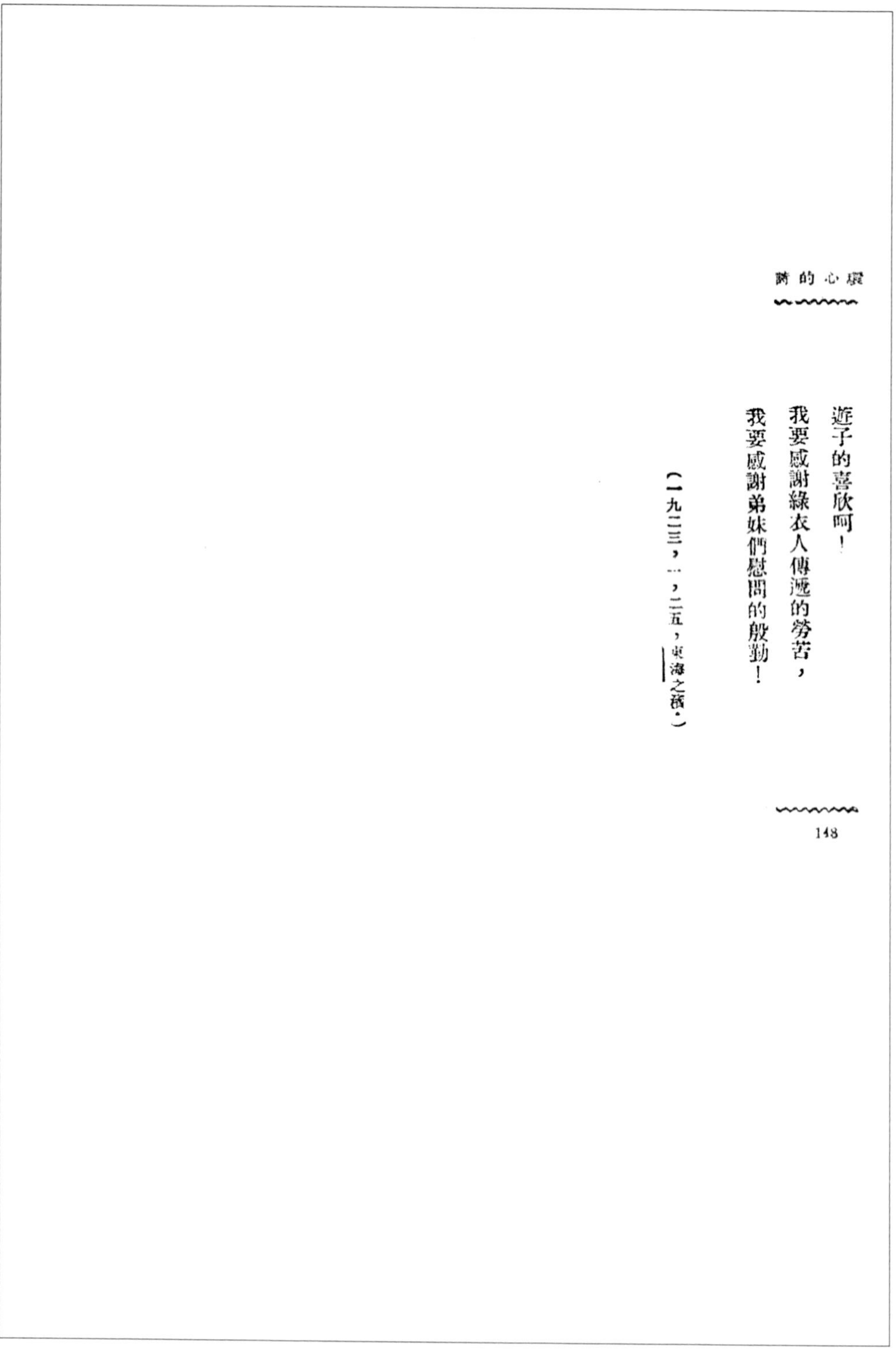

遊子的喜欣呵！
我要感謝綠衣人傳遞的勞苦，
我要感謝弟妹們慰問的殷勤！

（一九二三，二，二五，東海之濱。）

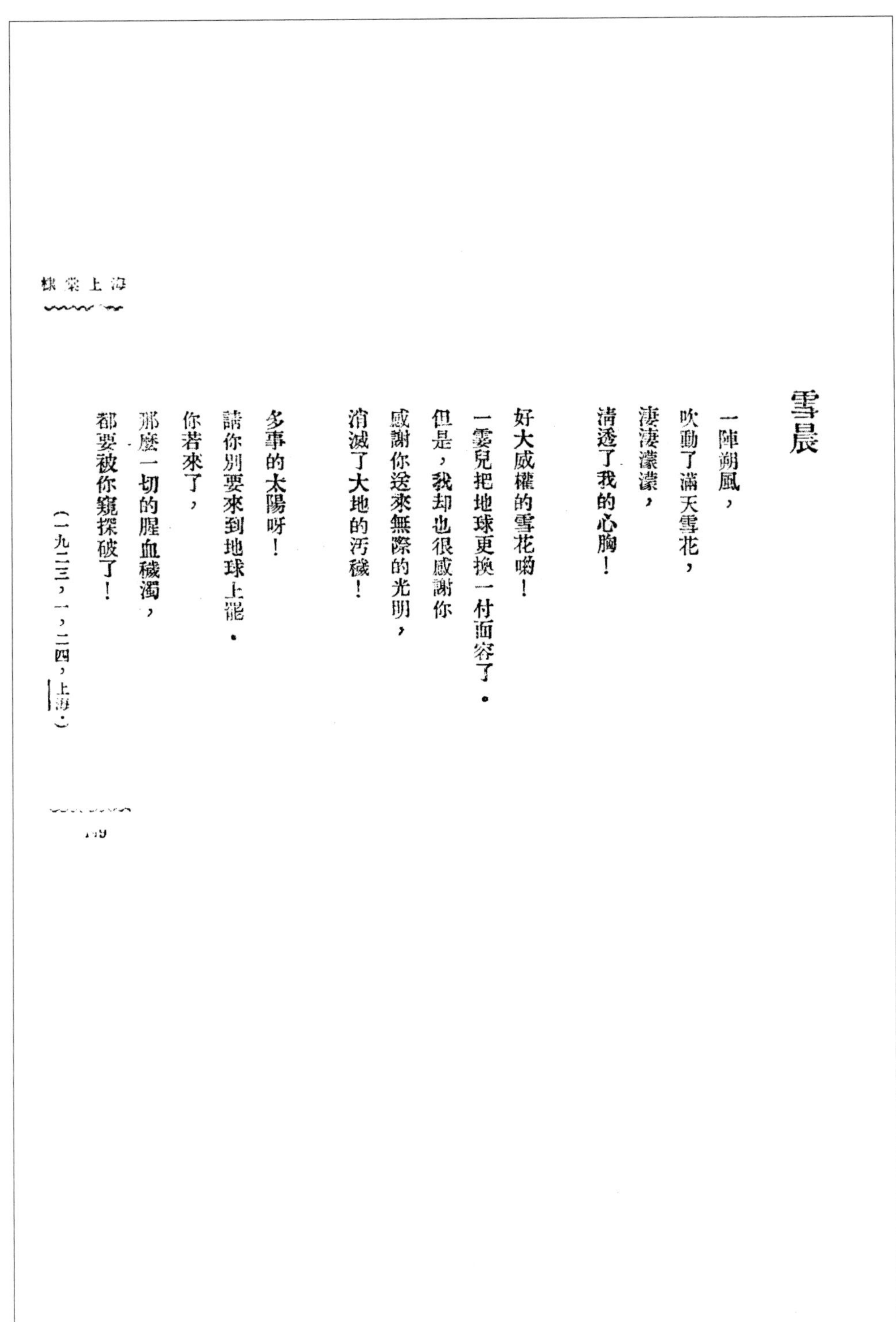

雪晨

一陣朔風，
吹動了滿天雪花，
淒淒濛濛，
清透了我的心胸！

好大威權的雪花喲！
一霎兒把地球更換一付面容了。
但是，我却也很感謝你
感謝你送來無際的光明，
消滅了大地的汚穢！

多事的太陽呀！
請你別要來到地球上罷。
你若來了，
那麽一切的腥血穢濁，
都要被你窺探破了！

（一九二三，一，二四，上海。）

春風底卷頭語

招展的柳枝徵綠了，
嬌豔的桃花吐華了。
呵！春風的恩惠
美麗的圖畫！

泥燕兒喃喃私語，
黃鶯兒嚶嚶謳歌。
呵！春風的仁和
和平的音樂！

入們胸中的圖畫模糊了；
生命之音樂沉靜而且寂寞了。
春風喲！
你也多撒佈一點兒恩惠
一點兒仁和！

（一九二三，二，二）

（註）春風，係一種文藝刊物的名字。

心影篇

藏着太陽的榮光，
漫遊莽莽的大地。
在這樣的途中，
使我不能忘記：

我忘不了她那光澤的雲髮，
更忘不了她那晶瑩的玉齒。
因爲我的網膜之上，
猶有顯麗的模跡。

我忘不了她那清揚的歌聲，
更忘不了她那溫柔的言語。
因爲我的鼓膜之上，
猶有音波振起。

我忘不了她那雍容的品性，
更忘不了她那和雅的舉止。

因爲我的腦袋之中，
猶滿盛着甜愛欣喜。

我忘不了她那豐嫩的乳頭，
更忘不了她那海綿體的舌尖，
因爲我的兩顎當中，
猶有芬醇之氣。

我忘不了她那雪玉般的脂肉，
更忘不了她那白鵝似的柔腿。
因爲我的腰痕之內，
還留着纖薄的微跡。

我戴着太陽的榮光，
漫遊莽莽的大地。
在這樣的途中，
使我不能忘記：

（一九二二，五，六．上海）

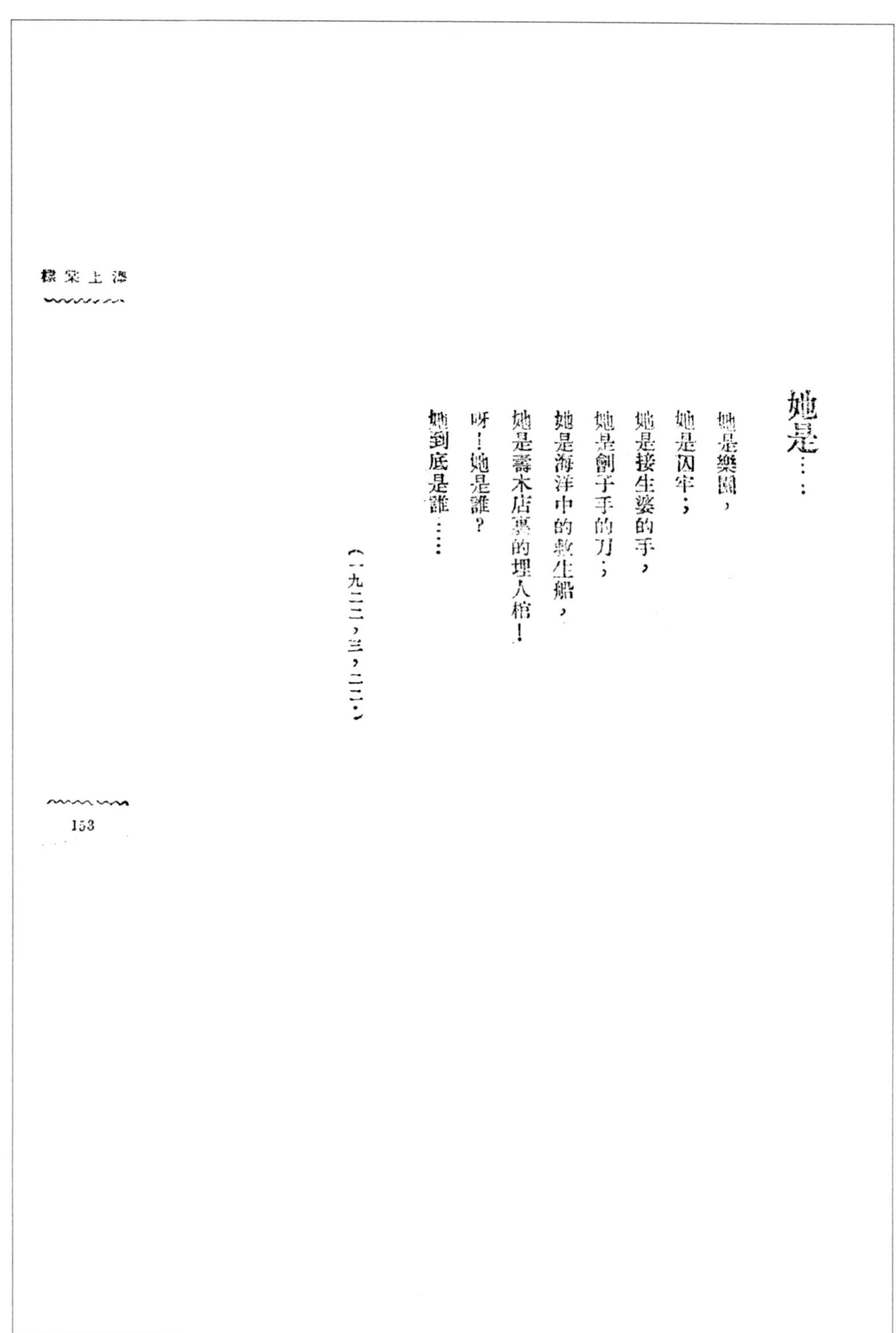

她是……

她是樂園，
她是囚牢；
她是接生婆的手，
她是劊子手的刀；
她是海洋中的救生船，
她是壽木店裏的埋人棺！
呀！她是誰？
她到底是誰……

（一九二二，三，二二。）

詩的心環
2
鄉心集

悵惘的新年（兩首）

（壹）

時光如流，一九二三年的聲浪又在我耳邊喧嚷了！我孤處這凄寂海濱之病院裏，不能不介
我憶起與我那些姊妹們——庭菊，友琴，克犖，
賦秋，毓秀，代讀箏——笑玩時之情景呵！憶起
又將怎樣呢？

流雷似的光陰，殘冬又將盡了。
喧鬧着的新年的聲浪，早已傳播我的耳邊了。
親愛的姊妹們呀！你們的影兒
也因此在我眼中浮泳了；
一層一層的往事，也都壓上我的心頭了：
我記得，我記得我們那次當夕陽西下的時候
在曲池旁邊的楊柳樹下放爆，
那些污泥爛水都被我們激起了，
樹頭上的小鳥也被我們驚飛了。
我記得，我記得我們那次在涼亭之下蹴踢毽子，

你們跳跳躍躍地把我打敗十幾次了；
我心中很不干休，總想勝得你們一次，
却也忘着珍珠似的熱汗在面上跑了。
我記得我還記得那年一月初一日的早晨，
我穿起了一件嶄新的衣服，你們個個
都見我發笑稱賀，我却不耐煩的把牠換了。
哦，姊妹們呀！今日不又是新年嗎？
不又是和往年一樣的新年嗎？
我想那池邊的楊柳依然綠了！
鬧春的毽子也在你們脚上打了！
可是呵，姊妹們呀！你們知不知道
你們的游戲隊裏，少卻一個人了？

(貳)

好友去非，更生，澹甯，都來信說及去年新春相聚之歡樂，感今年離別之寂苦，幷問我如何度過這個新年。因此便引起我無限愁緒，寫成這首詩來。

朋友們呀！人類眞是一塊浮萍，飄搖無定的。
我們去年新正歡聚，不是說：
「我們要年年如此的聚會」嗎？
可是，一轉瞬間，卻分隔了數千里呢！

朋友們呵！我們歡聚的那天早晨，見了落雪滿地，
大家不是要效道韞一樣的詠詩嗎？
今日今日，雪花雖然依舊來尋着我，
我却也卻也終不能吟成一字半句！

新年來了，哦，新年來了！朋友們
你們若問我有什麼來賀這個新年；
那麼，我必定這般答覆你——我說：
『朋友們！有了；我有溫泉般的淚酒來賀春！』
你們若又問我有甚麼來頌這個新年；
那麼，我也必定這般答覆你——我說：
『有了！朋友們，我有悲哀而且凄涼的歌詞來頌春』！

唉，朋友們！我告訴你們罷：

新年的快樂，不是離別人所有的；
更不是病了流落在江海中之人所有的。
何況新年本沒甚麼意義呢！

啊啊！
啊啊朋友們，我狂笑了！可愛的天父
把你們送到我身邊了，送到我身邊來了！
你們不相信嗎？呀！——我一閉目凝神時，
你們便一個一個在我身之周遭了！

（一九二三，二，二〇，——上海，——寶隆醫院。）

徬徨

余耳疾久治不愈，心實焦急萬分。前次所演闔刀之慘劇，危險已極，今且慘劇又將重演矣！

我的死期近了！我的死期近了！
萬惡的耳疾，又將復活了！
好好的肉體，又要變做醫生手中的解剖物了！
血肉橫飛的慘劇，又將重演了！
生命之泉源，完全付諸流水之外了！——
我的心兒戰慄了！我的身兒也戰慄了！

我是虎口的餘生，我是被斥的青年，
我死了，我不害怕，我不愁憂。
死！死！
死不過是肉體上一瞬間的變態，
有什麼可害怕？有什麼可愁憂？
人們又誰能免得牠呢？
免得今日，免不得明日；
免得現在，免不得將來！

我今死了，我得早日安快了！
決賽場中第一名，終是屬于我了！
哦，我歡舞了！我騰笑了！

要是我此次死了，我個人是不怕的。
但是，我的父母我的兄弟，
我的朋友，我的愛人，
他們又將怎樣呢？
此中不能不令我深推細想！
我暗暗地想道：『
醫生和我施用最後的手術，
不幸而死了！那末
我的父母得着這個噩耗，
必定立刻倒地了！
哭着！喊着！狂叫着！
全家的安甯擾亂了！
全家的和平毀壞了！
全家的愉快撕殺了！……』
我的心兒戰慄了！我的身兒也戰慄了！

我又不覺暗暗地想道：『
要是我此次死了，死在醫院了，死在客中了，
死在四顧無親的海濱了！那末
我的愛人偶然聽着這個凶訊，
必定由昏暈而至瘋狂了！
痛哭！淌淚！傷心！……
或打入於極悲慘之地而殉情了！
萬一保得她的一線殘生，也是痛苦終身！
她受禮教的薰陶，必定不肯改嫁；
她和我的義重，情深那裏願意適他人？
呀！青年的孀婦，絕無人道的節烈，
她又怎能……』
我的心兒愈戰慄了！
我的身兒也愈戰慄了！
喲喲！我想到此地，我又怎麼能死呢？
但是，顧着身體的健康；
爲着排除疾病的痛苦，

我又怎能不戀醫治呢！——

我的心兒愈加戰慄了！

我的身兒也愈加戰慄了！

（一九二三，一，二，寶隆醫院。）

鄉心（三首）

一

霧喲
你把大地密密的蒙迷了
我的家鄉——
是在何方？

二

我往日在家裏
總想着外出
如今到外面來了
又忽忽地念着家鄉
唉！人生到是何處好？

三

强飯加衣罷！
你母親是何等地系念喲

（一九二二，二，二三．上海．）

慈愛之神

慈愛之神喲！
我的母親．
兒現在病了；
病了，又想念到你了！
記得十年前那一日上：
『你到外祖母家中去了。
我本來是不知道
你瞞着我去了．
後來我在外面頑着囘來，
遍尋不見你，
我就哭了．
金姐拿出數片糕兒
—對我說道：
「媽媽留下的糕兒拿去，
叫我來帶你．」
我兩手接着糕兒，
我便笑了！吃着，跳着．

糕兒完了，我又尋着你了！
金姐又把糕兒給我，
叫我勿哭。
「不行！不行！
我要媽哩！」我又哭着。
她又向我說道：
　你莫哭，媽媽回來時，
定有好些花花餅兒給你了。」
「我不要！我不要！
我要我的媽哩。」
她沒法兒籠絡我了，
只好牽我出去尋你。
「哦！你媽來了，
你媽來得好快了！」
我果然見着你來，
我便止聲了！
我便大笑了！
跳着，躍着，
一陣撲上你的膝間了！

你的身子還未坐下，
你的新衣還未脫去，
你臉中的灰塵還未拭洗，
便把我安安地放入懷中了！」
啊啊！
慈愛之神喲！
我的母親·

（二二，一二，三〇，上海寶隆醫院）

弱者的呼聲

鑼聲鳴了，
爆聲響了，
人聲，樂聲，
一齊鬧將起來了．
擁着，擠着，嚷雜着，
一頂彩紅的花轎到來了．
人山人海中，
彷彿都在說道：
『新娘快上轎了，
新人快出門了．』
從那羣衆嚷雜的哭聲裏，
度出一縷悽涼娓婉的弱音：

『媽呀！
我做慣我媽的女兒，
如何做得人家的媳婦呢？
我是不能去的，

我要終身做我媽的女兒！
…………
媽呀！
你鞠養我到了這麼長大，
怎麼把我送去人家？
親愛的姊妹，
和順的鄰里，
自幼生長的故土，
叫我如何捨却？
叫我如何分離？
…………
我的媽呀！
父母心是公平的，
兄弟們既然終歸故土，
我也自應永守家門！
我的媽呀！
父母心是公平的，
我也是我媽的女兒，
爲何强我遠離家門……」

外面的鑼聲又起了，
人聲更急了！
抬轎的叫化們，
大催新人上轎了！

啊！那片娓婉的哀音，
頓時變作狂飆的慘聲了！
「媽呀……爹……」——
的呼聲未了，
叫化們擁着花轎跑了！
跑了！跑了！
一縷悽慘的呼聲
漸漸由疎遠而隱約而渺沒了！

（一九二三，一，九．）

朝陽（六首）

一

朝陽呵，奮鬥罷！
看看你四周蒙霧的險惡喲！

二

大雨在狂風中，越吹越斜了，
一點一點打入我的窗裏。
哼！天公也有什麼痛苦呀
不然，爲甚有這麼急的淚下？

三

馬路上往來的人眞多呵！
可是，從不見有一個人一回顧我哩！

四

可愛的蚊子
我已是個骷髏了

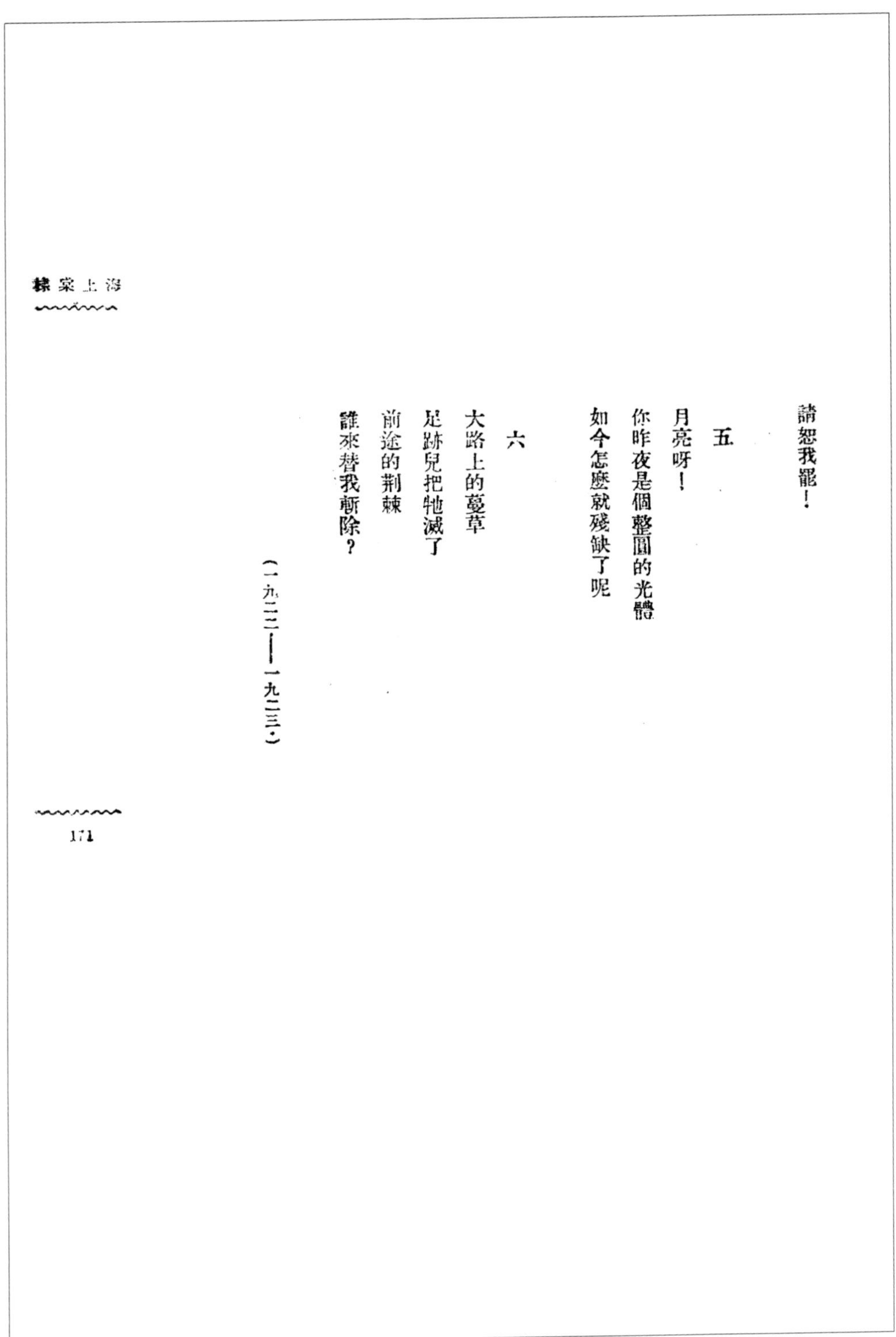

請恕我罷！

五

月亮呀！
你昨夜是個整圓的光體
如今怎麼就殘缺了呢

六

大路上的蔓草
足跡兒把牠滅了
前途的荊棘
誰來替我斬除？

（一九二二——一九二三・）

病中霜薪作別赴杭

霜兄，你去杭州呀？
我困處病城裏，得你朝夕相侍，
怎麼又要分離？

霜兄，你去西湖呀？
我病還未曾好，怎能遽爾離你？
可是唉！你又何忍捨却我哩。

呵！霜兄，你去喲！你去喲！
惡疾既不能好，你在此又有何益？
你我不免總有最後一別——
此次分手，尚有再期。

但是，我病既深且久，
今日雖云「暫別」，
或許說是「永離」！

霜兄喲，你去罷！我不留你。
你聽——柳浪聲裏的黃鶯
叫出尖小清幽的歌音喚着你；
你看——潭下迴環的流水
翻作黃金似的含笑迎着你。
你快去喲！你快去喲！
我不願我們今日相形依依；
只願日後的青鸞頻寄！

（一九二二，六，二八，于上海寶隆醫院。）

失侶的秋雁

沉寂寂的月夜，
清朗朗的長空。
一隻，只一隻失侶的秋雁，
悽悽地在着悲鳴。
我聽着牠悲切切的弱音，
不禁寒氣浸透了深心！
我看着牠孤單單的瘦影，
不禁想到我那失戀的友人！

（一九三二，十，六。）

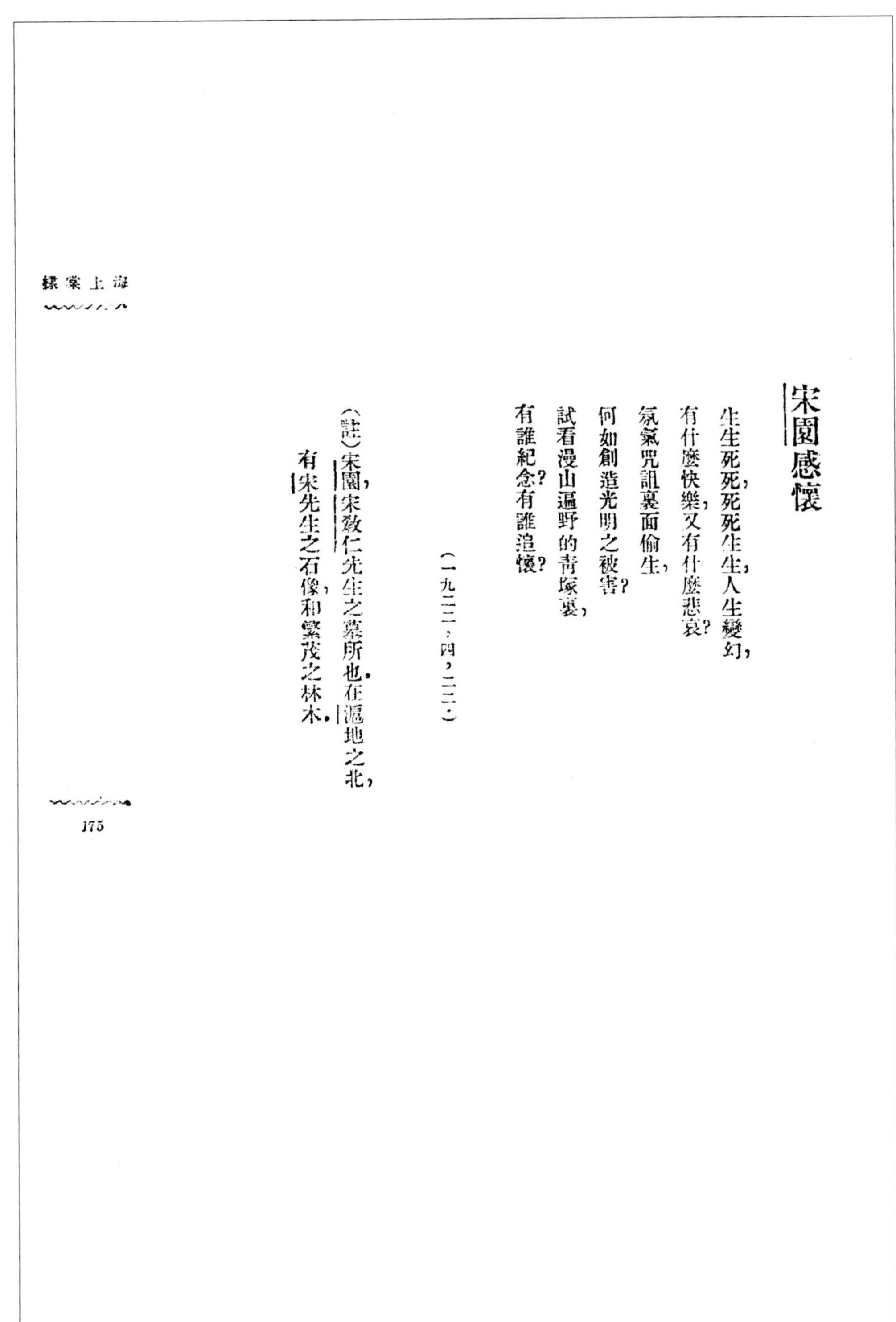

宋園感懷

生生死死，死死生生，人生變幻，
有什麼快樂，又有什麼悲哀？
氛氣咒詛裏面偷生，
何如創造光明之被害？
試看漫山遍野的青塚裏，
有誰紀念？有誰追懷？

（一九二二，四，二二．）

（註）宋園，宋教仁先生之墓所也．在滬地之北，有宋先生之石像，和繁茂之林木．

天眞

1

一對肥美幼小的猫兒，
在階前雙雙如意地舞跳．
你伸着兩個爪兒，
爬倒我的腰旁；
我豎起一條尾巴，
躍過你的頭上！

2

方學初步的嬰兒，
嬉笑地玩弄一個Doll．
青白的鼻液，流到嫩紅的唇上
她仍是蹒跚地往還自樂．
那副恬淡無爲的形性，
好個天眞世界的象徵！

（一九二三，四，二五．）

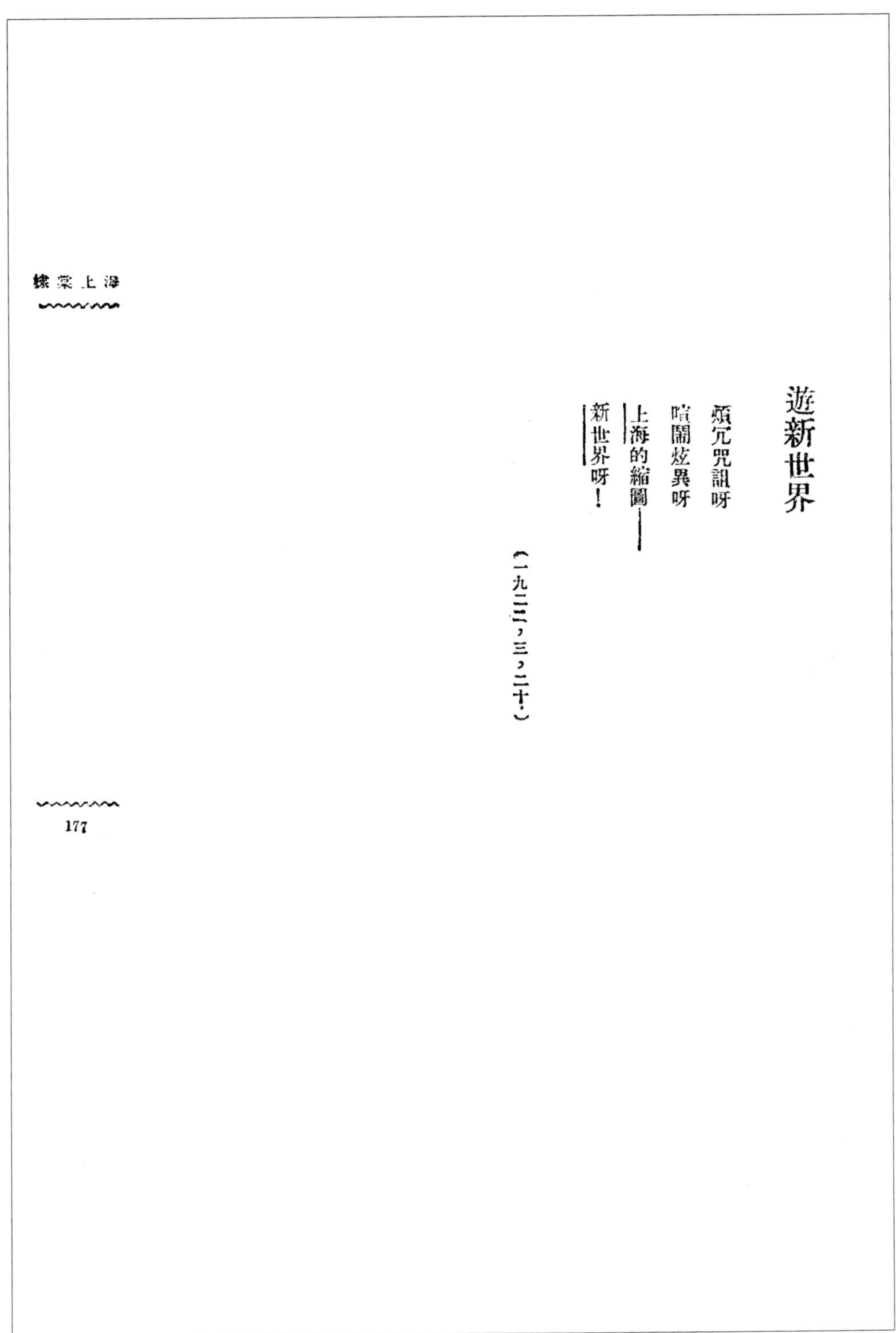

遊新世界

頹冗咒詛呀
喧鬧炫異呀
上海的縮圖——
新世界呀！

（一九二二，三，二十）

月下

更深萬籟寂，
月明星更稀。
强眠不成寐，
舉步郎蹢躅。
轉念親舊遠，
回顧家道迷。
張目看萬物，
疎淡不我親。
惟有半輪月，
猶識故時情！

（一九三二，八，二二。）

飛雪辭

臨窗作家書，
未滿八行紙．
寒氣浸肌骨，
點水成冰粒．
兩手僵如木，
衷心慄且悽．
翹首朝外望，
雪花飛不已！
飛不已，
我心悲，
令我回憶去年時：
去年雪花飛更急，
圍爐取煖盡歡娛．
阿母抱長孫，
呀呀作兒語；
阿兄肆高談，
哄動一室內；

阿妻與阿妹，
羨彼火炎熾。
圍爐未及幾，
擎出作兒戲。
搭成白雪人，
猶嫌雪太稀。
今日落雪未見雪，
中腸悽愴有勝昔。
去年今年雪正同，
悲歡冷煖亦何異？

（一九二二，十一，十六，于上海大學。）

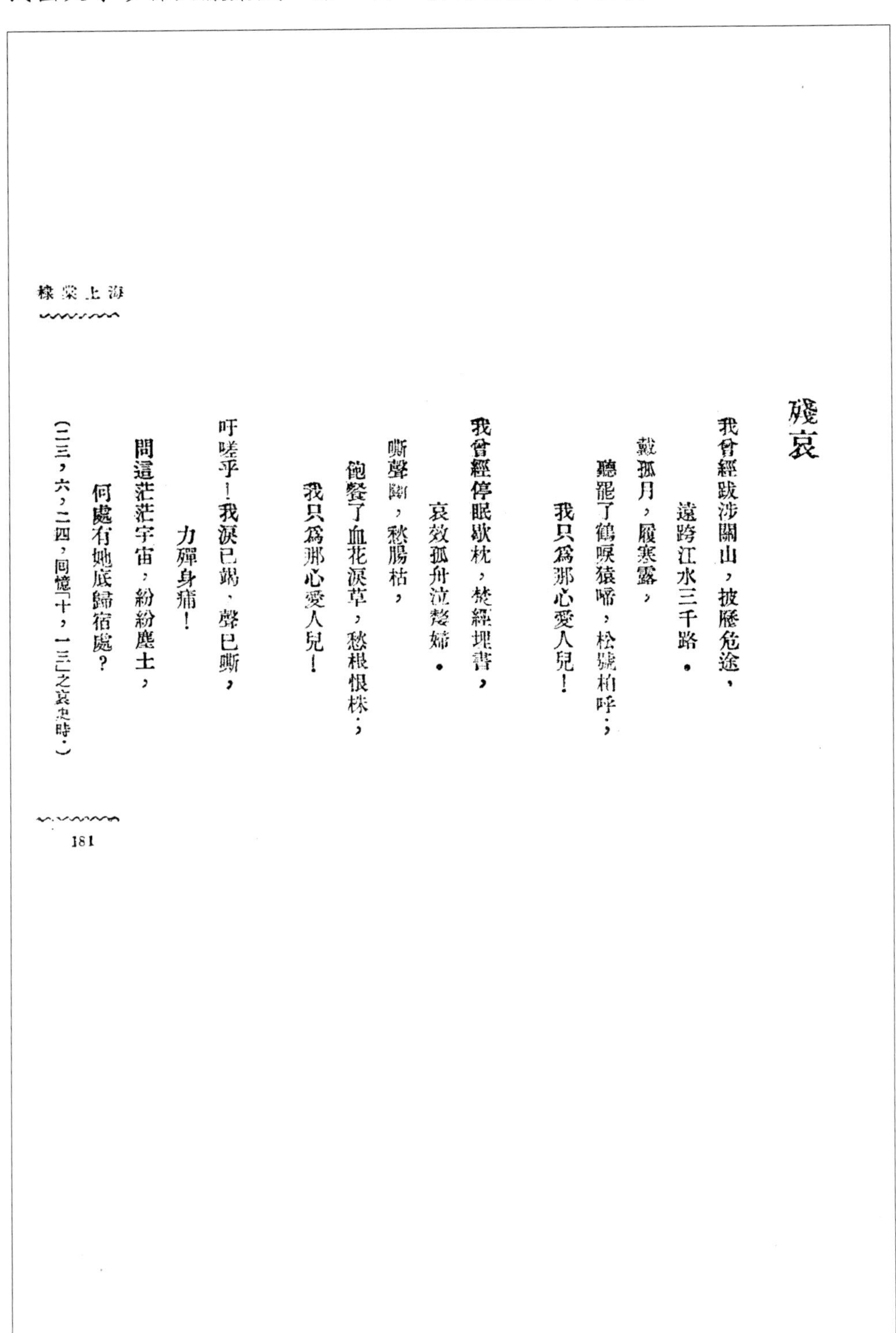

殘哀

我曾經跋涉關山，披歷危途，
　遠跨江水三千路。
戴孤月，履寒露，
聽罷了鶴唳猿啼，松號柏呼；
　我只爲那心愛人兒！

我曾經停眠欹枕，焚經埋書，
　哀效孤舟泣嫠婦。
嘶聲斷，愁腸枯，
飽餐了血花淚草，愁根恨株；
　我只爲那心愛人兒！

吁嗟乎！我淚已竭，聲已嘶，
　力殫身痛！
問這茫茫宇宙，紛紛塵土，
　何處有她底歸宿處？

（一三，六，二四，回憶「十，一三」之哀史時。）

失去靈魂底懺悔

——此詩預呈克歡——

愛人，責罸我罷！
我的靈魂已經死了。

愛人，憐恕我罷！
我的靈魂復甦了。

哦，愛人！
請受我虔誠的跪禮。
我那豪着罪惡之垢的靈魂
祈求你爲我洗除呀！

（一九二三，六，二四，上海。）

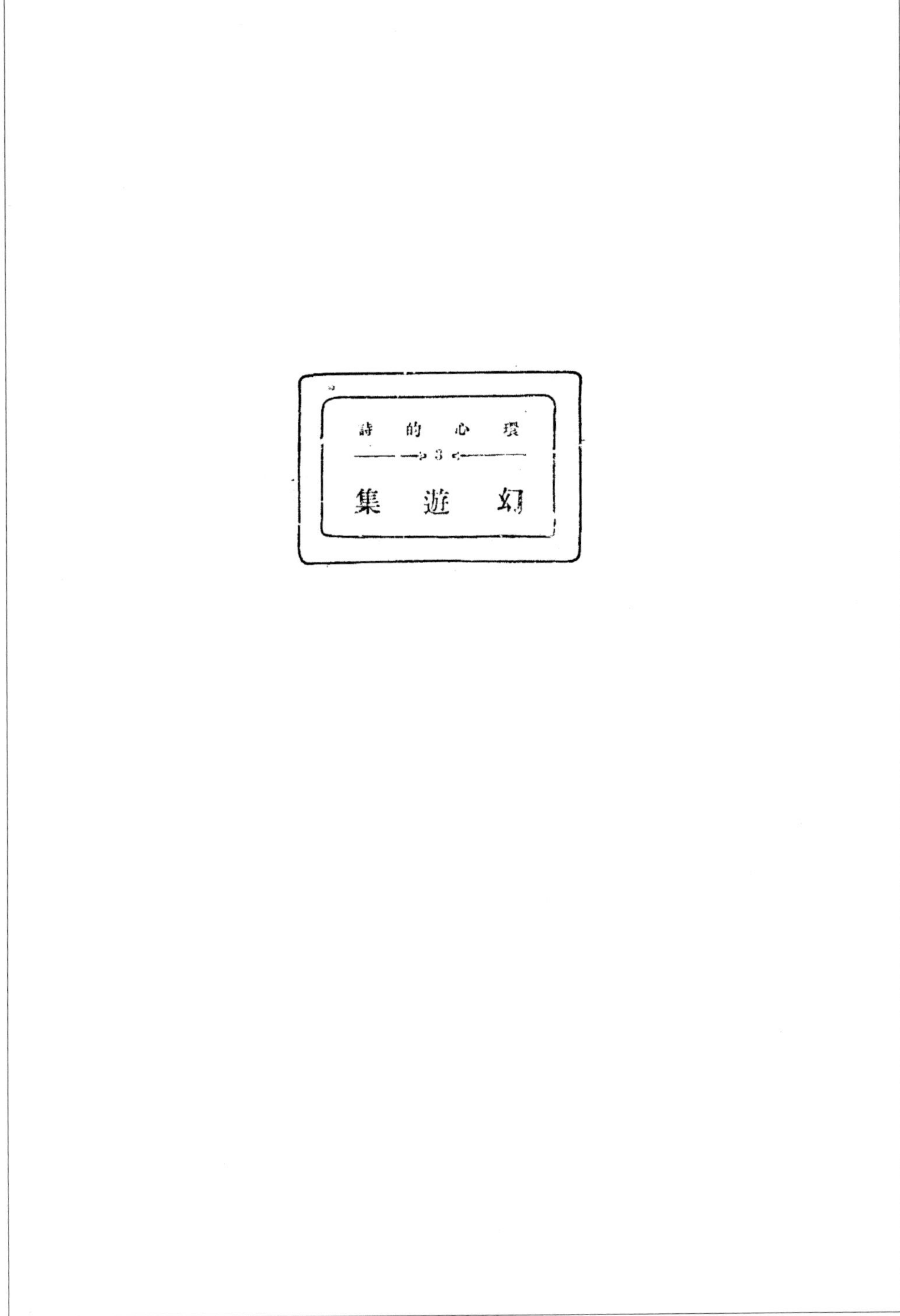
詩的心環
3
幻遊集

荷池之前（散文詩）

鮮明的朝陽的光線，照澈鬱鬱的叢林，把滿池荷花浸潤。微風吹來，那荷葉上點點水銀似的宿露，如意地流轉頻頻。金冠霞衣的鴛鴦，在微泛紋波的水面上，雙雙往還遨玩，一個美麗的少年，執着詩卷，悄悄地佇立在茂林之下，荷池之前。

『哦！可愛的荷花妹妹，你那嬌豔的容顏，潔淨的天性，挺拔的身軀；我祝你戰勝了狂風暴雨，我祝你蟬脫了塵滓汚泥！』他欣欣地向着荷花說着，又徐徐移動了幾步，他心中恍惚湧上了層層悲楚。他眉尖上微微起着兩條縐紋；他沉澱的眼波上，好似籠上了一道蒙霧。

『我可愛的荷妹！你此時雖然欣榮地隨伴着我；可是，怪可惱的火車，頃刻間定要載我東馳！』他嘆了一口氣，隨又說道：『咳！人生終是被着虛榮心的驅使，拋却眼前樂土，去闖那漂渺浮泛的前程後步。我目前有如斯的美景良晨，爲甚還要遠赴他鄉，負笈讀書！』他說了，他臉上的歡容完全斂去了。眼角上恍惚滿裝着清瑩的淚珠！

『可愛的荷花妹妹！你這般嬝娜綽約的容儀，我去了，不知有誰人來看視你，養護你？……將來我得重臨此地，或許你已經謝萎了！……也或許，唉！你早已被人採去了！』

他這樣斷續地說了，他禁不住幾聲噓唏。他隨手在懷中取出一個金色的小錶，看看短針已到了78兩字的中間。長針已把6字遮蔽。他急着，他暗自疑念着約他在池前話別的旦陽妹妹：『九點鐘要趕火車去了，現在已是七點半鐘，怎麼還不見她來呢？』

左角的園門，啞的一聲響了！他心中暗自喜歡，以爲是他的旦陽妹妹來了。他急張着兩眼凝望。果然，小徑上竹籬下轉過一個翩翩的少女——呵！正是他的旦陽妹妹！

『等我好久了，崑哥？』她悄悄地細聲問着。

『沒有多時。怎麼，她們纏延了你麼？』

『是哩！我幾次急要離開她們，她們總是執意留我編織那個未編完的花籃的網底』

池中送來帶香的微風，陣陣沁人脾心。黃鸝在樹間飛鳴，恍惚是唱着：陽關三疊，九曲長亭！

他凝視着她，他鼓起兩個含愁帶笑的眼睛，輕柔地說道：『我們快要分別了！妹妹，你對我可有什麼話要說呢？

她偶然聽着「分別」兩字，她全身的細胞禁不住悚然一陣驚動，眼眶上微微有點紅了！她低着頭，用脚尖踏那路旁的小草。兩塊輕薄而且鮮麗的唇兒，微覺有點顫抖。只用雙目逼視着他，口中說不出一句話來。

『妹妹！……』他的聲音有點顫動了。『妹妹！你心中不用難過，時間不讓我們再蹉跎了！你可有什麼好話告我？』

她仍然是說不出話，只用一雙似嗔似喜，如痴含愁的眼波瞪視着他。

他愈急了！他心也愈不安寧了！他上前握着她的手，懇懇地向她說道：『哦妹妹！再有兩刻鐘我們就要分離了，你總當有句話兒向我告慰！』

穿過荷池的淸風，帶着蓮蕊的香氣，飄動了她兩旁的鬢雲，她愈不自支了！——她緊緊地握着他的手兒，指頭不住地搔摟，心地裏不住地躍跳。

綠葉上嫩紅而帶嬌[illegible]的蓮瓣底下，慣會牽人情意的鴛鴦，越發現出歡悅嫵媚的形狀了！她和他遇着這般情景，只覺得有一種什麼天然界的壓力，使她和他的兩臉接近！他緊緊抱着她的腰肢，她的兩手無力地搭上他的肩背了。——世界已經湮沉了！宇宙中的一切景物都消滅無存了！——只有他倆的心房的顫動，微微的聲音，起着共鳴！

她的唇兒跳的愈快了！她兩個愛憐橫溢的眼眶裏的淚珠，不自主地迸出幾顆了！她的臉上是淚痕了！他的臉上也是淚痕了！兩個人的眼淚融和起來，却分不出誰是誰個的了！

荷葉在他們面前浮盪，他們是不知道！蝴蝶在他們身旁環飛，他們也是不知道！綠楊枝上的黃鶯，在他們頭上歌唱，他們更是不知道！——他們已經脫離人世了！他們已登上雲程中之仙地了！——只有柔和的風兒，一陣——一陣——一陣地吹吹！無情的時間，一秒——一秒——一秒地過去！

荷池裏一隻雪白的鷺鷥，劈拍地飛出水中，忽地裏驚破他倆的仙夢！

他猛然檯頭一驚！他正容地說道：『時候已到，我要去了！咳妹妹！難道你終沒有一句話兒向我告慰？』

她底臉上只是灼灼地燒着，她雲鬢在空際迎風飄舉。她自腰中取出一方水紅的絲巾，揩去她臉上斑斑的淚跡。

『崑哥！……』她用力說着。她微弱的聲音，又被壓着下沉了！

舊的淚痕方乾，新的淚珠又滾盪出來了！

他把手帕替她揩去了眼淚，懇摯地向她訴語：『好妹妹！應該有句話兒告慰我了！』

她用力呑着一口氣，她着勁鎮攝着她的戰慄與嗚咽。她才說道：『崑哥！崑哥你去了！咳！我昨夜本想着有許多話訴與你；現在，——現在已是說不出半句了！此刻我心懷有無限的隱痛，無端的愁緒！只覺得有什麼氣力把我的胸次塞住，什麼妖魔把我的喉嚨捉持！……

『我敬愛的崑哥！你去了，我沒有好話告慰你！——我不知說什麼「旅途珍重」，也不會祝什麼「前程勝利」；——我至愛敬的崑哥，我願你形骸他適，心魂兒與我永恆相隨……

『咳！我已成了囚中的犯罪！我的前途，隱隱地伏着痛苦；我的四周，密密地佈滿了荊棘！我的崑哥！我要你至誠地愛憐我，顧念我，永恆不把我忘記！——你能這樣做到時，咳！我便死也得瞑目而逝！』

『咳妹妹！我是永恆愛護你顧念你的！我到忘記你時，便是我的靈魂離開了我的肉體！

『妹妹！我們的罪過，各自皆是要寬恕的！我們終是現實的社會禮制之下困窘的刑人，我們怎能……呵！我們那得不有悽楚哀悲？……

「嗳！妹妹！我明知在情理上是不應愛你的，我弱小的心兒，却愛上你了！就是你呢，也知在事實上是不該愛我的，無端的情緒，却擾亂你不由你自主了！——咳！我們倆，重重的罪過，應該是誰擔負？……

……」

她只是低頭沉吟，喉嚨裏微覺有啜泣之聲。

園門外樹林中的小山上，隱約聽着陣陣鵑聲的悲啼，好像是在喚着：「不如歸去！不如歸去！」

她忽然一陣感動，她便攝衣挺身說道：『哥哥！時候已遲了！你應走了！我也應先回去了！請你勿要過於傷悲，我們倆終當沒有絲毫罪過！我們的罪過，Venus 之神早替我們擔當去了！』

他幾度遲疑着囁嚅着，纔乃强力說道：『哦妹妹！別了！……訣……別了！——你可先回去就是！咳！妹妹！我們今日分袂，卻不知相見是在何年，何月，何日，何時？假如我們有在何年何月相見的日子，卻又不知這些清淨嬌麗的荷花，飄落向何處去？……』

她臉上的榮光，完全被愁雲遮蔽了！她吃格的嘴唇，再也說不出半句話了！他倆猛烈地接了最後一吻，把緊握着手兒放了！她勉力地踟躕地別他去了！

池上的風兒，只是無情地吹着！黃鸝的歌聲，只是悄悄地欷着！水面上蓮葉下浮泛着的鴛鴦，不知漂往何處去了！只有妖嬈的荷葉，仍是欣欣地對着他微笑！

她去了！他瞪望着她，她不能回一視！她兩個脚跟上，像是着帶沉重的物體。他瞪望着她，她仍是不敢回頭一視！

她轉過竹籬去了！他呆呆地立着——只是呆呆地立着——

蓮瓣墮入池面，羣魚齊來爭馳，水中起着幾片丁東的聲息。

他忽　驚着回轉身兒，雙手扶着池旁的花枝，斷續地向那荷花呼道：『可愛的荷花妹妹！你這般嬝娜綽約的容儀，我去了，不知有誰人來看視你，養護你？……將來我得重臨此地，或許你已經謝萎了！……也或許，咳！你早已被人採去了！……』

（一九二三，六，一四，于上海大學。）

幻遊曲

太陽已經西沉了，
威炎之氣寬已經消滅罄盡了。
蔚藍的天宇，滿結着燦爛星朵：
月殿中的嫦娥，都在拍手高歌。

我被着斑斕的雲衣，
衣外還掛着芬芳蘭芷。
駕起紫雲的鳳輦，
向那月宮之中奔馳。

可愛的月裏嫦娥，
姿態何其美妙，綽約？
雲鬟披蓋了楚楚霓裳，
綿腰深繫着絲絲女蘿。

我感謝着她們的愛敬——
她們的盛意美情：
佩我以琪花瑤草，

餉我以玉蕊金英。
扮奏着仙樂妙舞
示我以歡悅殷勤。

領罷她們的樂舞，
我不禁喜心融融。
攜着她們的手兒，
周遊覽乎月宮：

走到月宮東方，
東方有一所精麗的樓房。
室內陳設着瑤席玉几，
室外環植着金柱銀桑。
有一對少年夫妻
在那輕歌漫舞，
有兩個親愛母子
在那偎倚傍歡。
鷄犬在戶外安眠棲息；
童孩在廊下嬉戲蕩玩。

我只覺遍地都是愛美——
愛美中充滿着愉悅歡暢！

走到月宮西方，
西方有兩個花圃林場。
靈芝在着炫耀錦色．
玉蘭在着撒布芬芳，
冬青樹間的綠鸚在着戲語，
楊柳枝頭的黃鸝在着歌唱．
葡萄架下
有二三花童休憩；
涼亭之上
站着雙雙窈窕之女郎．

走到月宮南方．
南方是座廣大的市塲．
瓊瑤爲街石，瑾瑜爲垣牆；
滿目盡是秀麗之色，和平之象．
有許多男女

在那勤懇地工作；
有許多男女
在那裏貨物交換。
從不見一點半點兒詬罵爭奪，
好像是把「各盡所能
各取所值」的精神表揚！

走到月宮北方，
北方是一座高山，一片海洋。
悠悠的白雲在那山間迴轉；
翩翩的水鷗，在那海中浮盪。
山風吹動了山巔的青草，
海風織起了海面的紋浪。
山光接着水色，水色映着山光，
好一片明坦瑩澤清朗的景象！

我遍遊了月宮四方，
心頭頓起着無限哀感：
我俯視那不幸的人羣，

遍地都是骷髏！
滿目盡是痍瘡！
走寶原野，橫倒郊荒！
來者驚懼，去者彷徨，
可憐他們不思振作，
甘心把青春斷送！
可憐他們不圖自强，
坐任着虎噬豺傷！

我的哀傷未已，
我不禁淚下浪浪。
承着嫦娥們的愛念，
深深慰我那悲思哀想。
她們既送我以雙睇，
纔又貽我以芳唇。
萬斛塵念不禁疾然消逝，
我親親地擁抱着她們深深！

哦！羣星已散，夜色將闌，

早令御者駕起龍車鳳輦，
準備明夜遨遊那月外之樂園！

玉兎已經西沉了，
燦爛之繁星已經逃遁了。
朝日在東海之隅照映曉吵
羣鳥在林木之中歌唱飛舞

一九二三，六，二二・上海大學）

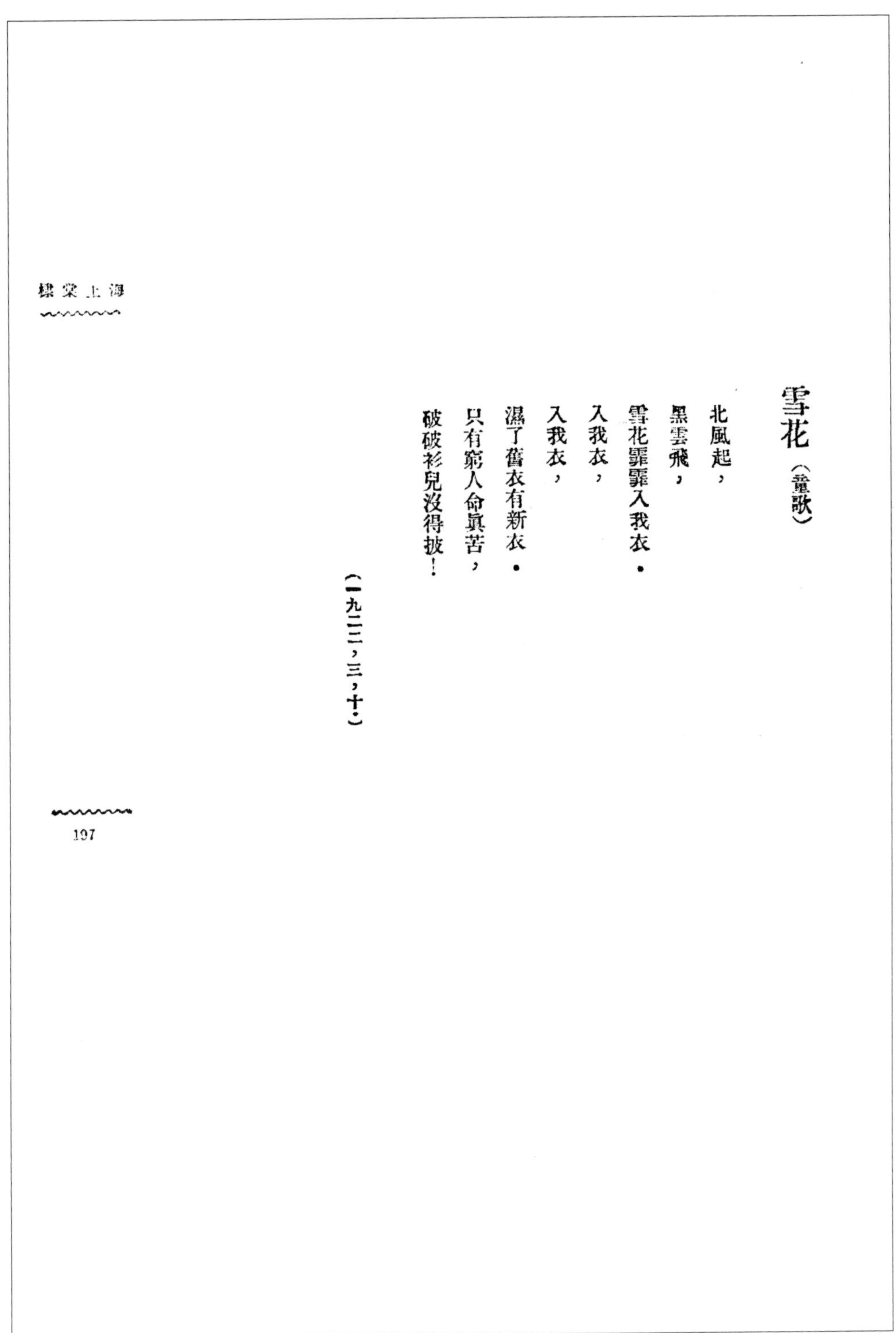

雪花（童歌）

北風起，
黑雲飛，
雪花霏霏入我衣．
入我衣，
入我衣，
濕了舊衣有新衣．
只有窮人命眞苦，
破破衫兒沒得披！

（一九二二，三，十．）

笑嬉嬉（童歌）

上罷課，
日斜西，
哥哥妹妹同回歸。
手攙手兒慢慢走，
唱唱歌子唱唱詩。
一走走到大門口，
母親一見笑嬉嬉！

（一九二三，三，十。）

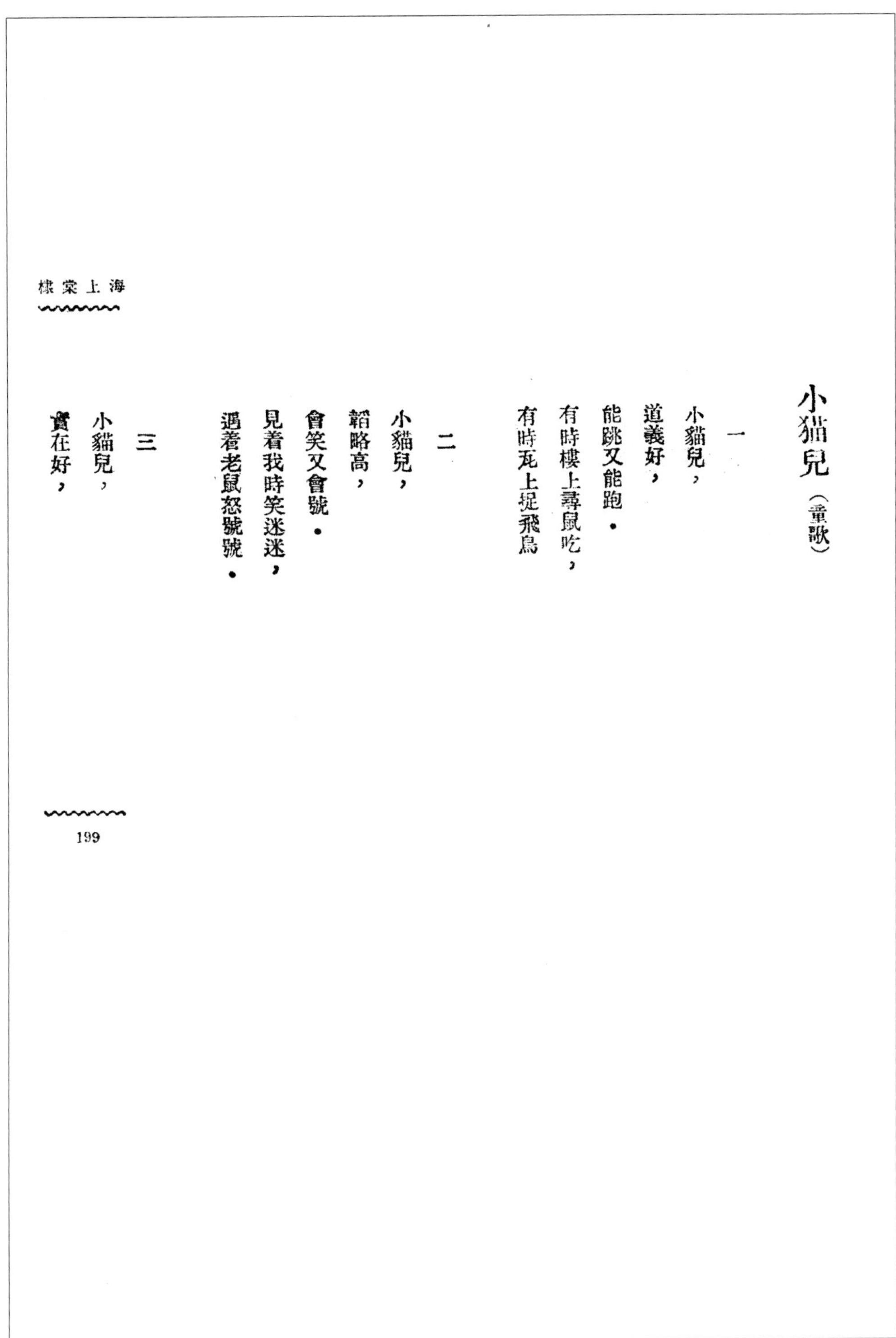

小貓兒（童歌）

一

小貓兒，
道義好，
能跳又能跑。
有時樓上尋鼠吃，
有時瓦上捉飛鳥

二

小貓兒，
韜略高，
會笑又會號。
見着我時笑迷迷，
遇着老鼠怒號號。

三

小貓兒，
實在好，

既乾淨，
又乖巧；
既玲瑚，
又和藹。
能不能
做我一個小朋友？

（一九三二，三，十。）

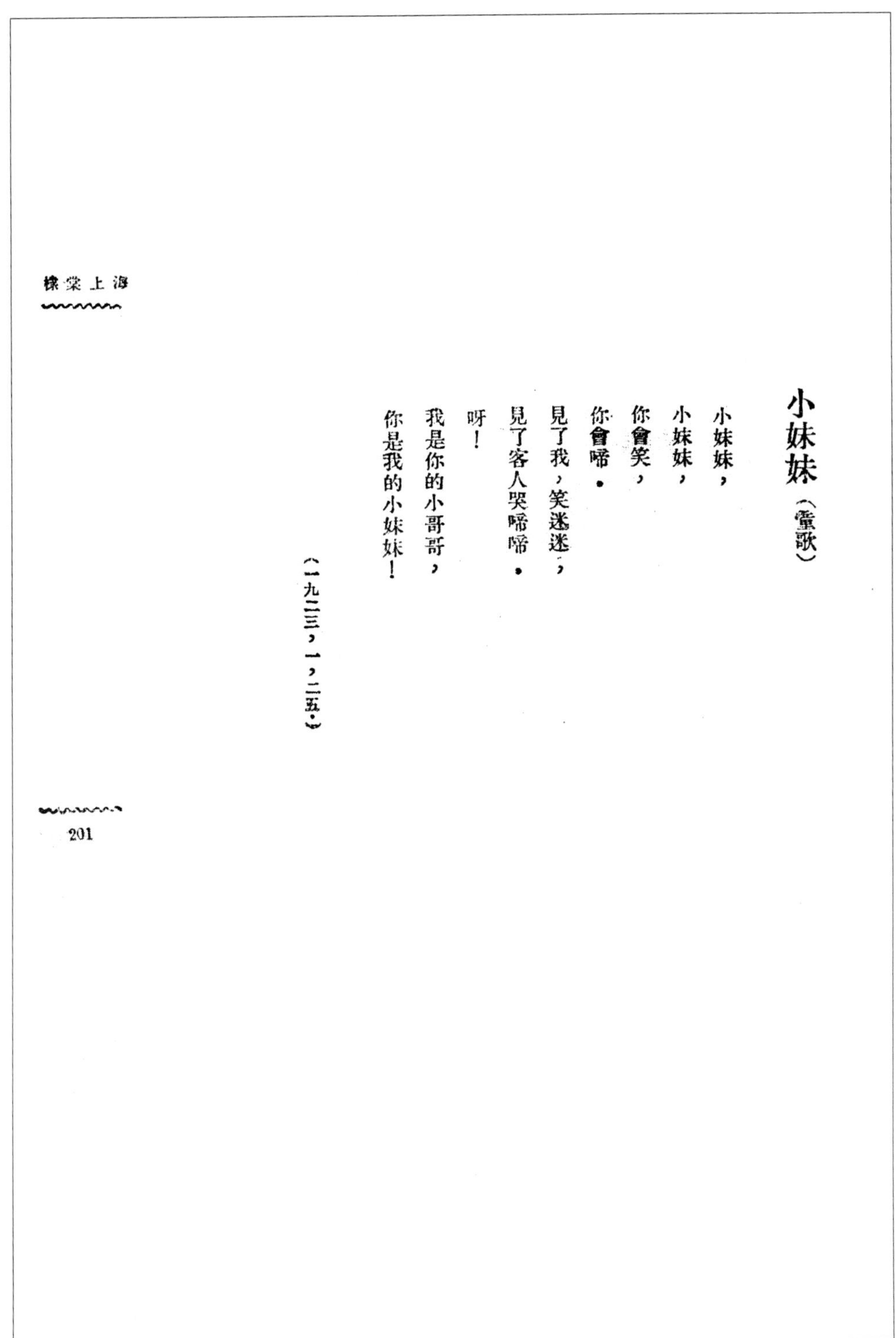

小妹妹（童歌）

小妹妹，
小妹妹，
你會笑，
你會啼。
見了我，笑迷迷，
見了客人哭啼啼。
呀！
我是你的小哥哥，
你是我的小妹妹！

（一九二三，一，二五。）

桃花妹妹（童歌）

桃花妹妹！
臉上的胭脂
是誰和你點的？
蝴蝶哥哥嗎
是不是？

（一九二三，二，四。）

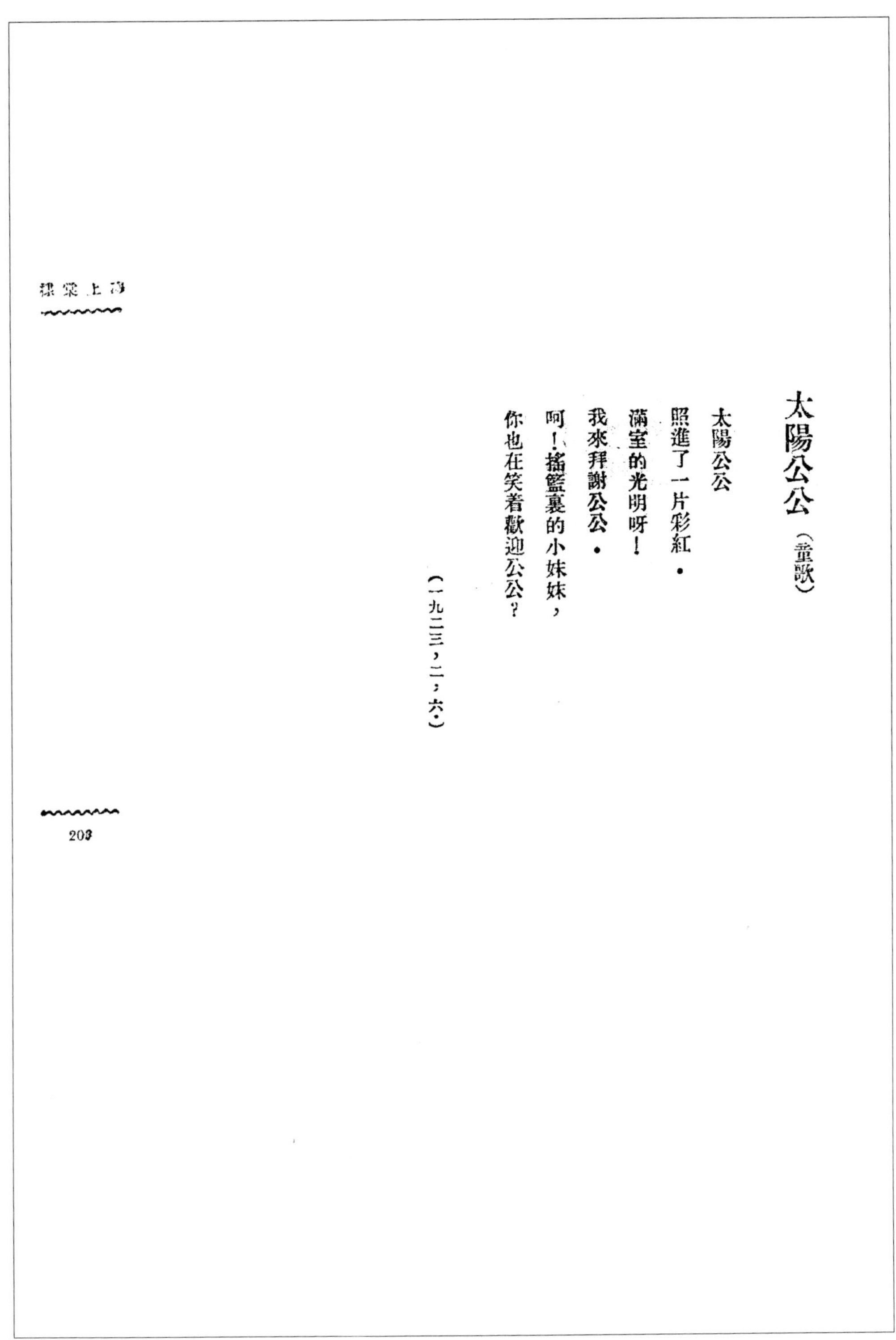

太陽公公（童歌）

太陽公公
照進了一片彩紅・
滿室的光明呀！
我來拜謝公公・
呵！搖籃裏的小妹妹，
你也在笑着歡迎公公？

（一九二三，二，六・）

踏春

（一）

遠遠地一列青山，
和着天邊接界。
悠悠蕩蕩的白雲，
從那山中出來。

（二）

碧蔥蔥的方田中，
有兩個弓背灣腰的農人，
放出高朗清澌的歌聲。

（三）

濃陰陰的叢林裏，
籠罩着三五村家，
好一幅美麗的圖畫！

（四）

是那裏來的一陣清香？
呵！踏春的姑娘們的裙裾飄蕩！

（五）

雙雙對對的泥燕，
掠過平林梢上，
飛到春水池畔。

（六）

枝枝搖曳着的楊柳呀！
是在招迎着踏春人麼？

（七）

無知的牧童，
仰臥在青青草地，
沉醉于自然懷裏！

（八）

隨風招展的柳枝，
拂着清淨的溪水，
驚動水底的遊魚。

（九）

牧童驅着牛兒囘去了。
濛濛的晚幕展開，
踏春的詩人歸來。

（十）

踏春的詩人歸來了！
把印在腦中的景色，
握在手裏，鋪在紙上——
欣欣地搖着頭說：
「這是詩人偉大的工作，
這是詩人永恆的歡悅！」

（一九二三，三，一五，遊江灣之後。）

花木蘭文化出版社聲明啓事

此次《民國文學珍稀文獻集成》出版，有賴各位作者家屬大力支持，慨然允贈版權，遂使這巨大的文化工程得以開展。我社全體同仁在此向各位致以誠摯的謝意！

由於民國作者人數眾多，年代久遠且戰火頻繁，許多作者已無從知其下落。我社傾全力尋找，遍訪各地，能夠找到的後人，得其親筆授權者，爲數甚寡。更多的情況是，因作者本人下落不明，連版權情況都無從知曉。

因此，我社鄭重聲明：

此叢書所錄專著，凡有在版權期內而未授權者，作者家屬可與我社聯繫，我社願奉送相關贈書 50 冊爲報酬，補簽授權協議。

叢書第一輯，版權不明作者名單如下：

李寶樑、朱采眞、黃俊、汪劍餘、ＣＦ女士（張近芬）、王秋心、王環心、謝采江、曼尼、歐陽蘭、陳勣、沙利、卜弋雲、陳志莘。

望以上作者之家屬看到此通知後與我社聯繫。

聯繫信箱：hml@vip.163.com

花木蘭文化出版社

2016 年春